Bleu azreq

 LES ÉDITIONS
Sémaphore

3960, AVENUE HENRI-JULIEN
MONTRÉAL (QUÉBEC) H2W 2K2
Canada

Téléphone 514 281-1594
info@editionssemaphore.qc.ca
www.editionssemaphore.qc.ca

Nous remercions le Conseil des Arts du Canada de l'aide accordée à notre programme de publication.

Couverture : M.-Josée Morin
Révision : Tania Viens
Mise en page : Lise Demers

Catalogage avant publication de Bibliothèque et Archives nationales du Québec et Bibliothèque et Archives Canada

Sauves, Magali, 1961-
    Bleu azreq
    Comprend des réf. bibliogr.
    Texte en français seulement.
    ISBN 978-2-923107-18-9
1. Guerre mondiale, 1939-1945 - Tunisie - Romans, nouvelles, etc.
I. Titre.

PS8637.A982B53 2011   C843'.6 C2010-942642-8
PS9637.A982B53 2011

Distribution : Les Éditions Sémaphore

MAGALI SAUVES

Bleu azreq

ROMAN

LES ÉDITIONS
Sémaphore

L'une des faces de Dieu est la face d'une femme.
Paulo Coelho

À ma mère
À mes enfants, pour qu'ils sachent d'où ils viennent
À mon mari, qui ne m'a jamais trahie...

Remerciements

Un cerisier au milieu d'une cour, une haie d'hortensias grimpants, J'étais arrivée. J'avais donc pu retrouver le chemin qui s'offrait à moi dans ma prime enfance, revoir la main qui tendait le stylo, réentendre l'invitation bienveillante, ressentir l'évidence éblouie qui s'en suivait. Papa, avant de partir tu m'avais tout dit, mais j'étais une enfant et j'ai mis quarante ans à m'en souvenir.

Combien de chances d'être publié, de partager ses rêves, ses espoirs et ses croyances profondes s'offrent à un auteur inconnu? J'aimerais remercier ici Lise, qui m'a aidée à réaliser ce qui constitue l'une des étapes les plus importantes de ma vie. Avec une formidable générosité, sans même savoir si j'étais réellement capable de mener au bout un tel projet, elle a, en peu de mots, balayé mes doutes et mes hésitations.

Je voudrais également exprimer toute ma sincère amitié à celles qui furent mes collègues et qui sont devenues mes amies, Annie, Debbie, Lucie, Muriel, mes premières lectrices, dont la réaction enchantée m'a encouragée à poursuivre. Il en va de même pour Albert et bien sûr Corinne, là-bas, en France. De plus, je voudrais remercier Aimé et Vivianne sans lesquels mon cheminement au Québec n'aurait certainement pas connu la même trajectoire. Merci à tous les deux de votre soutien indéfectible.

Je désire aussi adresser une salve de remerciements au site harissa.com. Il représente une mine d'informations sans laquelle ce livre n'aurait pas pu exister. Les témoignages qui y sont contenus m'ont permis de donner vie au Tunis où Sarah évolue, de parler de l'école, de nommer les restaurants de la Goulette, les marchands ambulants, d'opérer les vérifications historiques, de connaître les anecdotes, les faits inédits et enfin, d'apporter de la fraîcheur et du naturel à cette période méconnue. Sincères salutations donc à tous les rédacteurs!

Si, toutefois, certains puristes remarquaient quelques erreurs, je réclame leur indulgence. En effet, sachez que j'ai surtout tenté de restituer l'esprit de cette époque et que, pour ce faire, j'ai peut-être involontairement, tendrement, négligée la lettre, emportée dans la fougue du processus de création inhérent à la rédaction d'un roman.

J'espère, bien modestement, avoir repris le flambeau du souvenir dont la flamme garantie le respect de notre mémoire, notre seul patrimoine. Je ne demande qu'à le passer aux plus jeunes afin que l'histoire d'amour de nos parents et de nos grands-parents demeure toujours vivace dans tous les cœurs : leur amour pour la Tunisie, leur pays.

À tous, merci.

1

Et voilà, comme dans un souffle, Mamina était morte. Jamais un fait aussi incontestable ne m'était apparu aussi aberrant !

Je me tenais dans un coin où, comme d'habitude, personne ne songeait à moi. J'entendais les cris des pleureuses se mêler à ceux des manifestants dans la rue, juste au-dessous de notre balcon. C'était comme si la ville entière s'était unie pour crier que Mamina n'était plus. En tendant l'oreille à travers les vitres fermées, j'aurais pu comprendre l'hystérie qui émanait de cette effervescence. Mais de là où je me trouvais, j'étais juste assommée par un brouhaha indescriptible et enveloppant.

J'avais quinze ans. Je venais de perdre ma mère et je savais que, malgré mon jeune âge, j'avais déjà traversé bien des épreuves. Le chant des rabbins, arrivés en renfort, m'approuvait.

Nous étions le vendredi 7 mai 1943 et la montre à gousset de mon oncle maternel, Mardoché, marquait seize heures trente quand les Forces alliées, composées majoritairement d'Américains, entrèrent enfin dans Tunis libérée. La nouvelle de leur débarquement en Afrique du Nord avait ronronné sur la BBC lors de la diffusion de sa première émission radio : le général Montgomery avait vaincu les troupes de Rommel au sud de la Tunisie, entre les villes de Mareth et Tataouine. Pourtant, nous avions hésité à le croire, toute lueur d'espoir semblant indécente.

J'avais entendu les hommes de ma famille chuchoter. Même s'ils prenaient garde à interrompre leur discussion dès que je m'approchais, ils ne me bernaient pas, et je me doutais bien que le comportement de mes frères alimentait leur sujet de conversation, d'une manière ou d'une autre. Un lourd silence saluait mon plateau chargé des verres de boukha, l'alcool de figues, ainsi que de la boutargue, les œufs de poissons, luxe inouï issu du marché noir.

Au fil des mois, la santé de Mamina n'avait fait que s'aggraver. Nous vivions sous protectorat français et nous subissions les lois antisémites depuis le mois d'octobre 1940, comme l'Algérie d'ailleurs, mais inégalement suivant les villes. Seuls les Juifs de Sousse et Sfax portaient l'étoile jaune. Pourtant, le pire était à venir. Le 9 novembre, les Forces de l'Axe, des Allemands et des Italiens, déferlèrent dans les rues de Tunis. En quelques heures, le paysage se transforma complètement. Ils vomirent des tonnes de matériels sur nos pavés, nos jardins, réquisitionnèrent les bâtiments, les maisons, le train, seul moyen de communication avec la banlieue. Il fallait maintenant produire un laissez-passer pour quitter la ville. Voilà comment mon oncle Mardoché, qui séjournait depuis quelque temps chez nous pour visiter entre autres sa sœur, dut s'installer, ne pouvant rentrer dans le sud. Les bombardements se succédaient, déchirant le ciel. Notre cave finit par abriter d'autres que nous. Incapables de déplacer notre mère, nous nous tenions blottis autour d'elle, la protégions de nos corps, paravents chimériques. Tunis avait vacillé sous le ravage des bombes et payé le prix fort. Des pâtés-de maisons entiers, il ne restait que de larges cratères. Peu à peu, les rafles pour remplir le continent de travailleurs «volontaires» s'accélérèrent, ainsi que les pressions pour régler l'amende

12

collective [1]. Les réquisitions et les spoliations devinrent anecdotiques. Les écoles furent fermées et les professeurs contraints de demeurer chez eux. Ces derniers avaient résisté jusqu'au bout, nargué les lois scélérates et protégé leurs élèves comme leurs propres enfants.

J'étais une excellente étudiante. Je fréquentais l'école de la rue Malta Srira aménagée dans une ancienne écurie du Bey et dont la vétusté était le cadet de nos soucis. De ces journées passées derrière les bancs de bois blanc, je regrettais tout. Depuis les encriers où nous trempions nos plumes Sergent Major et les chiffons humides qui nous servaient de buvards, jusqu'aux heures d'étude où nous pouvions faire nos devoirs pour une somme modique. L'ambiance fraternelle qui y régnait me manquait terriblement, ainsi que mes amies avec lesquelles nous discutions des heures durant, à propos de l'intonation à accorder au poème de Victor Hugo : « Demain dès l'aube, à l'heure où blanchit la campagne, / Je partirai [2]. » Mes rêves de liberté évaporés, je restai seule auprès de ma mère, la regardant s'affaiblir, rythmant ma respiration sur la sienne et celle de mon pays bien-aimé. J'expérimentai la sensation d'être en sursis, suspendue à une bouffée d'air et bénissant l'autre, toujours anticipant le pire.

Je passai machinalement la main dans mes cheveux et j'enroulai une mèche autour de mon doigt. La boucle glissa et demeura en place aussi parfaite que si elle avait été apprêtée à l'aide d'un fer à friser. La pensée soudaine que, sous le

---

1. Elle s'élevait à vingt millions de francs.
2. *Demain, dès l'aube...* est un poème de Victor Hugo publié en 1856 dans le recueil *Les Contemplations*.

soleil, rien ne pouvait perdurer, ni revêtir un caractère si tragique, si définitif, m'assaillit. La tristesse n'allait pas bien au teint de Tunis. Elle avait besoin de couleurs vives, de saveurs et de parfums enivrants. Toucher mes cheveux me le rappelait. Les femmes juives entretiennent une relation passionnelle avec leur chevelure, même lorsqu'elles la couvrent de foulards traditionnels chamarrés afin d'obéir à la loi religieuse. La mienne sentait la mixture spéciale composée de henné neutre, de poudre de cannelle ainsi que d'un soupçon de noix de muscade, que j'appliquais régulièrement en masque. Après chaque nouveau shampoing, mes cheveux exhalaient davantage l'odeur subtile et réconfortante d'épinards poivrés. Mes boucles brillaient sous le soleil, souples comme de la soie, noires comme des ailes de corbeau. Funeste présage.

J'atterris dans la réalité du moment que je vivais. Je m'essuyai le front du revers de la main. Ma mère gisait par terre, un drap blanc la recouvrant.

Je fixai la frise délicate du plafond.

Nous, les Ouzari, étions une famille pauvre, mais je n'en avais jamais souffert. Mon père, peintre en bâtiment, rafraîchissait tous les ans, pour la Pâque juive, les murs de la maison avec les restes de peinture de ses travaux de l'année. Il peignait toujours des boutons de rose que j'adorais. Ces fleurs nostalgiques, présentes depuis quatre ans, ne céderaient sans doute pas avant longtemps leur place à de nouveaux bourgeons nés sous le pinceau adroit de l'artisan.

Je me laissai guider vers la salle à manger. La table avait été poussée sur le côté afin de dégager l'espace, précaution inutile pour l'instant, car très peu de monde s'était déplacé. Les

14

tantes, les oncles, les cousins ne pouvaient pas décemment manquer à l'appel, pourtant ils se comportaient comme s'ils nous accordaient une faveur. Certains se déboîtaient le cou pour jeter un coup d'œil dans la rue d'où les clameurs montaient. D'autres, les joues rouges et les yeux brillants, contenaient leur joie à grand-peine, prêts à exploser, glissant un doigt électrisé dans l'entrebâillement de leur col sur lequel ils tiraient avec obstination.

Apparemment, quelqu'un s'était enfin souvenu de moi. Cette sortie de l'anonymat m'ennuya fortement. Je dus l'embrasser, me laisser embrasser. Sa peau dégoulinait de moiteur, un mélange de larmes et de sueur. Je restais droite, au bord de la nausée. Il me passa ensuite, comme un paquet, à quelqu'un d'autre. J'évoluais de bras en bras, sans volonté propre, déconnectée de la réalité.

Je réalisai également que, dans ce ballet réglé par les conventions, nul ne cherchait à me consoler, mais plutôt à se rassurer. En me touchant, qui de la joue, qui du bout des lèvres, qui d'une pression de la main, ils acquéraient la certitude que, Dieu merci, leur vie ne serait pas affectée de la même façon que la mienne.

Cette révélation me fit chanceler et des cris aigus retentirent à mon oreille.

— La pauvre petite, elle se sent mal !

On me fit asseoir sur une chaise, on m'éventa et une main me tendit un petit verre d'eau avec du sucre mal dissous et une goutte de Mazar, l'extrait de fleurs d'oranger qui, à Tunis, constituent la panacée. Je sus instinctivement que je ne pourrais plus jamais de ma vie endurer ce parfum.

Je me disais que ma mère n'avait pas bien choisi son jour pour mourir et que la vie la reléguait perpétuellement au deuxième plan. Elle l'avait traversée sur la pointe des pieds, effarouchée et écrasée sous le poids du c'est honteux, formule si chère à toute ma famille. Je me demandai si elle avait été heureuse et si une vilaine fée nous avait condamnés à grandir orphelins. Cependant, connaissais-je vraiment Mamina ?

Pupille sous la tutelle de ses sept frères dès sa prime enfance, ma mère était originaire de Gabès, ville située au fond du golfe du même nom. Membre de la pieuse famille Zersi, où la fonction de rabbin se transmettait de père en fils et où les femmes se contentaient de cuisiner et d'enfanter, elle n'était jamais allée à l'école. Elle ne savait donc ni lire ni écrire et ne parlait pas le français. Cet illettrisme avait élevé un mur entre elle et la société, la fragilisant à l'extrême. Pourtant, comme un bien se niche parfois derrière un mal, son analphabétisme lui servit deux ans auparavant lorsqu'elle fut incapable de déchiffrer cet entrefilet dans le Tunis Journal, un quotidien vendu à la propagande du IIIe Reich, qui aurait suffi à faire taire les battements irréguliers de son cœur. Un simple entrefilet pour décrire le massacre et le pillage du quartier commerçant de sa ville natale, appelé Djara, aux lueurs du crépuscule, par un groupe de plusieurs dizaines d'Arabes armés de couteaux, de bâtons, la tête recouverte d'une cagoule. Parmi les sept morts et la vingtaine de blessés, il n'y en avait pas un qu'elle n'eût pas connu durant sa tendre enfance. Et que dire de cette petite fille de dix ans cachée sous le lit par ses frères, massacrée par la même hache qui fit sauter les gonds de la porte ? Mamina n'aurait pu supporter le récit d'un tel sacrifice, sur l'autel de la haine raciale. Ce pogrome avait explosé

16

en pleine Afrique du Nord et n'avait mérité que quelques lignes dans la presse. À l'époque, les revendications nationalistes des Arabes commençaient à gronder. L'Europe, à feu et à sang, souffrait et l'administration tunisienne oscillait sous l'influence de Vichy. Les nationalistes virent dans cette période troublée une occasion idéale. En frappant la communauté juive, ils ne faisaient que se conformer à l'air du temps et réglaient leur compte avec ceux qui avaient accueilli à bras ouverts le colonisateur français. Comme nos coreligionnaires des villages de l'Europe de l'Est le constatèrent des siècles auparavant, les agresseurs se révélèrent des voisins ou des clients des commerçants. Les gendarmes français sous-estimèrent la situation et se présentèrent sur les lieux désarmés. Les Arabes les rossèrent de belle manière. Pour se venger de cette humiliation, la police de Vichy s'attaqua aux boucs émissaires tout désignés, les Juifs, en ravageant la synagogue, détruisant tout, du mobilier aux objets de culte. Mes oncles qui logeaient à l'étage assistèrent impuissants, mais sains et saufs, aux événements.

Mon père, Salomon, un sépharade[1] d'origine portugaise, avait épousé ma mère alors qu'elle n'avait que treize ans, et ils avaient vécu à Djara les premières années de leur mariage. Il fut lui-même dévasté par les détails que lui relata son beau-frère, Mardoché, qui effectuait depuis des années, une fois par mois, les quelque cinq cents kilomètres qu'exigeaient ses affaires prospères. Il se félicita d'avoir persuadé sa très jeune épouse de venir s'installer en ville où la vie et le travail paraissaient plus faciles.

---

1. Juif provenant d'Espagne ou du Portugal, dont la liturgie et les coutumes diffèrent des ashkénazes d'Europe de l'Est.

Ce fut vers seize ans seulement qu'elle mit au monde son premier-né : mon frère aîné. Ensuite, avec une régularité de métronome, la famille s'agrandit d'un bébé tous les deux ans. Tous l'avaient toujours connue le ventre rond, un enfant pendu à son sein et un autre accroché à sa jupe.

Nous étions huit : trois garçons, Émile, Jacob et Jules, ainsi que cinq filles, Esther, Yolande, Ninon, Germaine et moi, Sarah. J'avais perdu une petite sœur de la tuberculose, mais personne n'en parlait.

J'occupais la dernière place. J'avais souvent éprouvé la sensation que la vie m'avait dérobé ma mère. Mamina, statue de sel, muette, docile et soumise, se figeait, un sourire accroché sur son beau visage à la peau blanche et lisse, constellée de taches de rousseur. Son cœur, lui, s'était révolté en battant la chamade et la retraite.

Je la revoyais, depuis le lit qu'elle ne quitta pas la dernière année, éplucher avec une égale abnégation les légumes. Je m'asseyais sur la couverture multicolore en crochet, au renflement d'une des bosses du matelas rembourré de laine. Je regardais tomber une à une les épluchures fines comme du papier à cigarettes, preuve que rien n'était gaspillé dans une famille aussi nombreuse. Mes yeux suivaient le ballet savamment réglé du petit couteau pointu qui dansait autour des carottes, courgettes et navets, les frôlant et les transformant en fleurs, selon les commentaires admiratifs des voisines.

Elle gisait sur le plancher du salon et sa mise en terre ne pouvait pas tarder. Le shabbat allait débuter dans quelques heures et, chez les Juifs, on enterre le plus vite possible. Cela me torturait : comment le cortège passerait-il les blindés et la foule? Des images malsaines de cercueil chancelant se juxta-posaient à celles d'une inhumation de martyre révérée par son peuple éternellement reconnaissant.

Le bruit du marteau qui clouait le coffre où ma mère repo-sait façonnait mes os qui se contorsionnaient de douleur. Nous descendîmes les marches de l'escalier, ralentis par la rampe de fer forgé qui raclait le bois blanc. Arrivés sur le seuil de notre immeuble, nous découvrîmes l'ampleur de l'ivresse de la foule. Le voisinage aggluyiné sur le trottoir s'écarta. Par superstition ou réprobation, ils se détournèrent de nous qui osions troubler la liesse du moment par l'exposition obscène d'un cercueil. Je foulai les chemins sableux du cimetière israélite où nous étions entrés par l'avenue de Roustan. Nous passâmes non loin de la tombe de Rabbi Hai Taieb Lo Met[1] et je pensai qu'elle serait en bonne compagnie. Je déchirai moi-même la boutonnière de ma blouse noire d'une coupure faite à la hauteur de mon cœur déchiqueté. Puis, je m'agglutinai à cette tache noire indélébile que nous formions sous le ciel bleu sombre de Tunis, entre les arbres en fleurs. La terre s'entrouvrit, enfourna goulûment ma mère dans sa bouche béante.

Le chant du muezzin[2], lancé du haut d'un des minarets de la mosquée de Sidi Mahrez, relayé par celui plus lointain et ténu de la mosquée Halfaouine, transperça l'air de l'adhan, l'appel à la prière : «Dieu est le plus grand, j'atteste qu'il n'y

---

1. L'un des plus grands rabbins de Tunisie (1753-1835), considéré comme un saint.
2. Membre de la mosquée chargé de lancer l'appel à la prière au moins cinq fois par jour depuis le sommet d'un des minarets de la mosquée. Il est diffé-rent de l'appel juif (par une corne) et de l'appel chrétien (par une cloche).

a de vraie divinité hormis Dieu, j'atteste que Mahomet est le messager de Dieu. Venez à la prière, venez à la félicité. La prière est meilleure que le sommeil. Dieu est le plus grand. Il n'y a de vraie divinité hormis Dieu. »

Je me mordis très fort la lèvre pour ne pas hurler, transpercée par l'amour que je lui portais, ce genre d'amour que nul n'oublie.

Narguant le rabbin d'un regard insolent, j'acquiesçai à son discours moralisateur qui nous intimait de faire preuve de courage. Oui, je gouttai à travers mes sanglots et le sang qui maintenant coulait dans ma gorge, ma détermination à ne pas vivre comme ma mère, à quitter le 6, rue Sidi Bou Ahdid, où flottaient larmes et résignation.

2

La semaine de deuil, dite chez nous l'abil[1]: sept jours à manger par terre, au ras du sol, tous rétrogradés au plus prosaïque de notre humanité. Sept jours sans nous laver ou changer nos vêtements. Sept jours à supporter les nôtres. Tous égaux devant la mort, en manque de la chair qui nous avait engendrés ou appartenu. Nous partagions des plats maigres composés de poissons et d'œufs que la famille ou les voisins nous envoyaient. Ensuite, nous récoltions nos restes et nos miettes dans de grands torchons de coton damassé destinés aux ordures. Comme des lépreux, nous offrions en pâture et en spectacle notre souffrance, et notre contrition aiderait à l'élévation de l'âme de notre défunte. *El minhag ihéb ahlim*[2]. Telle était la coutume... Nous vivions une tragédie où nous nous sentions chez nous, à laquelle nous appartenions.

Les femmes de mes frères, les pièces rapportées, s'activaient à nous servir. Je les enviais d'avoir quelque chose à faire. Entre les repas, le silence de notre peine muselait les cris des enfants qui jouaient. Myriam et David, deux beaux poupons aux joues roses, cherchaient par tous les moyens à échapper à la vigilance d'Irène, leur mère, l'épouse d'Émile. Celle-ci, bien que jeune, était sèche et sérieuse, et prenait tout au tragique. Pour une

---

1. Le deuil, pendant les sept premiers jours. C'est la prononciation correspondant à l'hébreu avél. Les ashkénazes parlent d'esguité.
2. Le minhag (la coutume transmise) englobe plus que les règles consignées dans la Torah. Cela exprime l'attachement des Juifs tunisiens à leurs coutumes reçues.

fois, les circonstances lui donnaient raison. Quant à Alain, Lalou pour les intimes, il demeurait suspendu au bras de sa mère, Hannah, la femme de Jacob, et bien malin celui qui pouvait l'en décrocher. Je le comprenais volontiers. Hannah était ma belle-sœur préférée. Elle était douce et intelligente, et je souffrais pour elle, car je savais mon frère un grand coureur de jupons. Son physique de gorille, court sur pattes et musclé, balançait étrangement son tempérament volage et imprévisible.

Je perdis vite la notion du temps. Les nuits devenaient des jours, les jours des nuits. La procession de notre famille éloignée, de nos proches et de nos amis qui ne faisaient qu'un, s'écoulait à toute heure, intarissable. Un soir, tard, ce fut le tour des Mezzasalma, nos voisins italiens. Leur changement d'attitude, d'abord lorsque Rome avait été vidé de ses habitants juifs et ensuite quand, à Tunis, le bruit des bottes avait retenti, nous avait tous profondément blessés.

— J'ai tellement de peine, marmonna Erminia en se penchant vers mon père.

Celui-ci esquissa un léger mouvement de recul. À partir du moment où ma mère s'était alitée, plus rien n'avait eu d'importance. La guerre avait glissé sur lui comme sur une toile cirée, ainsi que nos difficultés à joindre les deux bouts. Il s'était arrêté de travailler complètement et brusquement. Ses pinceaux reposaient sur le balcon. Des gouttes s'étaient écoulées des pots de couleurs mal fermés. Le tout avait séché et était bon à jeter. Il avait en parallèle beaucoup changé, son corps épousant la forme des souffrances de sa compagne. Ses épaules étaient maintenant voûtées, toute sa carcasse chancelait comme un château de cartes sur le point de s'écrouler. Mamina avait l'habitude de

22

nous raconter qu'il l'avait fait frémir au premier battement de ses cils dévoilant ses prunelles grises. De ses yeux magnifiques, il ne restait plus rien. Les pupilles glacées s'étaient liquéfiées, perdant leur charme et laissant place à deux billes grisâtres sans vie. Même ses cheveux, autrefois si touffus et d'un blanc éclatant, devenaient rares, fins et jaunes. Pourtant, l'espace d'un éclair, j'entrevis son regard d'un gris acier très pur, acéré comme un poignard.

— Je te reconnais bien là. Il faut toujours que tu ramènes tout à toi ! lui dit-il.

La réplique fusa, cinglante comme un coup de fouet. La plantureuse Italienne accusa le choc. D'autres commentaires désobligeants l'escortèrent vers la sortie avec, dans son sillage, sa fille Dorinda, mon ancienne compagne de terrasse. Nous avions passé notre enfance entre le linge blanc, sur lequel les rayons du soleil jouaient à rebondir et nous piquaient les yeux, et les piments rouges qui brûlaient nos narines. Les cordons-bleus qu'étaient nos mères les faisaient sécher sur des tôles d'acier ondulées où ils se gorgeaient de la chaleur qui régnait sur ces hauteurs. Après un après-midi de ce traitement, il émanait d'eux un halo incandescent, tant ils étaient forts. Nous avions tout partagé, que ce soit nos jeux, avec des os de mouton qui nous servaient d'osselets, ou nos secrets les plus précieux. Je la regardai se tenir là, sans réaction, sans courage aucun. Elle ne représentait plus pour moi qu'un simple pantin ; j'avais honte de notre amitié passée.

— Quel culot elle a, celle-là ! Oser montrer sa face de rat, de chemise noire, de fasciste ! Vous vous souvenez quand elle chantait à tue-tête, sur son balcon à l'arrivée de l'Axe. Tu parles, elle était tellement contente! Sa race maudite, sale nazie! Je te parie qu'elle nous aurait dénoncés, avec ses airs de comtesse. Tu parles! Comtesse aux pieds nus, oui… Quand je pense à ce que Mamina a fait pour elle. Les couscous, les gâteaux. Elle a même torché ses gosses! aboya Yolande.

— Tais-toi, ma fille! Surveille ton langage, veux-tu. La médisance n'a pas sa place sous mon toit.

Ma sœur Yolande avait le cœur sur la main, mais pas la langue dans sa poche. En fait, je pense qu'on pouvait, sans méchanceté, la qualifier de vulgaire. Elle travaillait comme couturière pour les troupes de danseuses du ventre de tout Tunis, qui comptaient des femmes, mais aussi des travestis très célèbres. Les Allemands raffolaient de leur déhanchement, et madame Aicha l'avait fait passer pour une Arabe lors d'une de leurs visites. Force était de constater que la fréquentation de ces artistes libertins avait cultivé son goût immodéré pour les proverbes arabes, dont elle parsemait sa conversation, et teintait son franc-parler d'une gouaille colorée, ce qui rendait la chose très crédible. Elle y allait avec des commentaires à l'emporte-pièce :

— Les goys, ils ne voient aucune différence entre les Juifs et les Arabes. Pour eux, c'est bonnet blanc et blanc bonnet. Tu veux que je te dise, ils ont raison! D'ailleurs, dans le Sud tunisien, on ne reconnaît les deux communautés que grâce à une ligne tissée supplémentaire sur le bas du burnous[1], alors…

---

1. Dans les pays du Maghreb, manteau d'homme en laine, à capuchon.

— Ça ne nous a pas empêchés de siffler *Bandiera rossa*[1] quand on la croisait dans l'escalier, gloussa Ninon, comme si elle n'avait pas entendu mon père.

— Cette guerre a tout fichu en l'air. Les Français, les Arabes, les Italiens catholiques, les Juifs, tout le monde s'entendait bien avant, sans se poser de questions. Maintenant, chacun se définit par le regard de l'autre porté sur lui, psalmodia Émile, de sa belle voix de récitant à la synagogue.

— Quand même! Ils sont forts, ces Italiens. Je n'ai pas compris pourquoi ils avaient déporté les Juifs de chez eux et protégé ceux d'ici. Remarque, tant mieux pour les Livournais, cela leur a donné raison de s'être installés ici depuis si longtemps, commenta Jacob, admiratif.

— Longtemps? expectora Yolande. En seize cents et des brouettes, non?

— Quelque chose comme ça, enfin… après l'Inquisition. Tu veux que je te dise, même s'ils ont toujours été très à part, très prétentieux, genre «on ne mélange pas les torchons avec les serviettes», le fait que les Italiens de Tunisie les aient quand même protégés contre l'avis de Mussolini mérite un grand coup de chapeau! renchérit Jacob.

Tonton Mardoché leva la tête de ses psaumes qu'il ressassait, inlassablement, toute la journée, et intervint dans la conversation. Mon oncle n'était pas encore rentré chez lui. La mort de sa sœur le forçait à vivre le deuil avec nous, et donc à retarder son départ. Il laisserait alors un vide impossible à combler, empli d'insécurité.

---

1. *Drapeau rouge.* Il s'agit du plus célèbre chant révolutionnaire italien.

— Mon neveu, cela se justifie historiquement. La congrégation israélite de Livourne, au nord de l'Italie, a toujours bénéficié d'un rang particulier, quasi aristocratique. Cela remonte à la Renaissance. Comme les marchandises passaient par les négociants juifs, ils représentaient une force économique colossale, c'est pourquoi les Médicis leur ont octroyé un statut à part. C'est vrai qu'on les accuse de snobisme, mais en ces temps nous devons nous serrer les coudes et non pas nous critiquer. Ils sont les granas, nous, les touansas. Nous nous sommes entraidés dans le passé sans nous en rendre compte. Grâce à eux, nous avons pu établir un pont culturel entre la Tunisie et l'Italie, et nous libérer du même coup de ce complexe oriental d'infériorité qui a la vie dure. Comme Germaine qui rêve d'aller étudier l'art de la coupe dans cette école renommée de couture à Rome ! Et eux, ils ont profité de notre dynamisme, de notre soif de savoir et d'entreprise.

Du coin de l'œil, je vis Germaine se recroqueviller sur sa chaise.

— Vous voyez, c'est bien ce que je dis, ils ne sont pas forts, tempêta Jules, qui n'avait retenu que ce qui l'arrangeait. Ils sont riches ! Même chez nous, les précieux « touansas » n'ont pas été déportés. Notre chère communauté juive a choisi les déshérités, ceux qui n'étaient pas les fils de…

Son ton était ironique et arrogant. Jules incarnait le révolté de nature. Cependant, à ce que j'avais pu comprendre, il avait raison. Les Juifs de Tunisie se divisaient en trois catégories distinctes : les Italiens (les granas), les riches touansas, et les pauvres touansas… nous. Pour la première, mon oncle avait dressé un portrait précis ; pour la deuxième, il s'agissait de quelques

26

familles qui détenaient les biens, le savoir et qui habitaient dans le quartier chic du Belvédère. La troisième représentait tout le reste, dans un éventail s'étalant de l'indigence de la Hara à la gêne relative de sa périphérie.

Mon frère, cet écorché vif, avait épousé Simone, une fille sans volonté propre ni ambition. Je ne l'aimais pas et je n'arrivais même pas à avoir de la peine pour elle. Pourtant, j'aurais dû. Ses parents l'avaient placée, dès son plus jeune âge, chez leur riche cousin, un négociant en vin, et sa femme, une éternelle dépressive. Le brave homme visitait la famille de Simone chaque année, lors de sa tournée auprès des producteurs viticoles de la région. Celle-ci croupissait dans une misère noire à Korba, une ville située à une vingtaine de kilomètres de Nabeul, là où les flancs de colline bordent les plages de sable fin. N'ayant pas pu avoir d'enfants et étant constamment absent de chez lui, il imagina prendre Simone, âgée de treize ans, à Tunis pour égayer son épouse, souvent seule dans leur immense maison, et dédommager en contrepartie substantiellement ses parents. Il faisait ainsi d'une pierre deux coups, en quelque sorte. Simone y avait vécu choyée, mais elle était déjà trop grande pour embrasser totalement sa nouvelle vie et se comporter comme la fille du couple. Elle avait donc cultivé un statut oscillant entre la dame de compagnie et la parente.

Plus tard, Jules l'avait épousée, sous condition de loger dans le cabanon du jardin et de veiller à l'entretien de la propriété. J'aurais donné ma main à couper que ce mariage ne convenait ni à l'un ni à l'autre. Ils n'avaient pas encore d'enfants, pas de réel foyer. À l'arrivée des Allemands, la maison avait été réquisitionnée et, le 9 décembre 1942, il y avait cinq mois presque jour pour jour, Jules était parti jouer aux héros, laissant Simone et sa tante, veuve depuis peu, avec leurs invités boches!

C'était tout lui! Un mélange de lâcheté et de bravoure inexplicable. Normalement, lorsque l'on verse de l'huile sur de l'eau, les deux liquides ne se mélangent pas, mais demeurent cependant dans le même verre. Cela représentait assez bien l'idée que je me faisais du personnage, capable de coup d'éclat et incapable de faire face à ses obligations de tous les jours. Jules avait peur de la vie, de la mort, des responsabilités, des conséquences, de que sais-je; pourtant, il se jetait la tête la première dans tout cela à la fois.

Les Allemands avaient posé de grosses exigences en arrivant à Tunis. Ils voulaient des logements, de l'argent, beaucoup d'argent et trois mille Juifs prêts à travailler pour eux. Le jour dit, sous une matinée pluvieuse, en plein hiver, seuls cent vingt volontaires se tenaient dans la cour de l'immeuble abritant les bureaux de la communauté israélite de Tunis. Devant cet échec, les négociateurs, conscients de la gravité de l'instant, assistèrent impuissants à la rafle orchestrée par les soldats, armes au poing, sur la rue Marceschau. Ils interceptèrent principalement des vieillards se rendant à la synagogue. La colère monta et la menace se fit plus pressante. De tous les coins de la ville, des jeunes arrivèrent pour prendre la place de leurs aînés. Ils se livrèrent aux Allemands et atteignirent bientôt le nombre de mille sept cents. Voilà comment Jules, grossissant les rangs de ces frondeurs inconscients, avait abandonné une Simone en pleurs et une mère mourante. Il était parti faire un pied de nez aux boches, comme il nous l'avait dit dans son message avec, également, le conseil de ne pas nous inquiéter. Comment faire, alors que son expression soulignait son manque de responsabilité et d'analyse concernant le tragique et la dangerosité de la situation?

Il était de retour depuis peu. Je ne comprenais pas bien s'il s'était enfui ou s'il avait été libéré. Cela n'avait guère d'importance maintenant. Jules me faisait peur. Il buvait beaucoup, ce qui n'était pas nouveau. Nous avions caché son penchant pour l'alcool à notre mère le plus possible, rivalisant d'excuses et de stratagèmes. Seulement, elle n'avait pas été dupe et la douleur qu'elle ressentait lorsque nous la rassurions faussement se lisait dans ses yeux, tandis que la commissure de ses lèvres frémissait. Aujourd'hui, oui, il me faisait peur. Une sordidité émanait de tout son être, une noirceur qui n'avait rien à voir avec de la tristesse ou du chagrin, mais plutôt avec une rage, une pulsion violente et irraisonnée. Il en voulait à la terre entière. Au milieu d'une des nuits de cette semaine sans fin, alors que je me levais, je l'entendis se confier à Émile.

Mon frère aîné respirait le sérieux, la profondeur d'âme. De plus, sa belle allure avec sa haute carrure et sa mâchoire carrée inspirait le respect. Il était l'intellectuel de la famille, comme se plaisait à s'enorgueillir Esther. Il était presque comptable, enfin, il comptait bien. Cela lui avait valu une place de commis au sein de la quincaillerie principale de Tunis, depuis l'âge de quinze ans. Petit à petit, il avait gravi les échelons et, maintenant, monsieur Bonnemain, son patron, ne pouvait plus se passer de lui. Il s'occupait de tout, des commandes à la facturation et, bien sûr, de la vente. La plus belle réussite de la famille! Il nous aidait du mieux qu'il pouvait, même si le commerce s'était ralenti sous l'occupation et que la clientèle avait changé. Les sympathiques artisans juifs, interdits d'activité et amis de son père, avaient fait place aux mécaniciens allemands en recherche d'un tournevis ou d'une clef, sans le moindre doute anglaise. Maigre consolation!

Je me lovai dans le renfoncement d'une des portes et, tétanisée, retenant ma respiration, je me tendis tout entière, prête à entendre le pire.

— Vous n'avez aucune idée de comment c'était. C'est facile pour vous de me faire la morale, pleurnicha Jules, la langue pâteuse.

— Raconte, au lieu de te détruire comme ça. Tu peux tout me dire. Je suis là pour toi, le réconforta Émile comme on rassure un enfant qui a fait une grosse bêtise.

— Tu ne pourrais pas comprendre.

— Essaye, l'encouragea Émile de la voix et du geste.

L'obscurité se drapa d'un long silence, puis d'un ton rauque que je ne lui connaissais pas, Jules déversa son récit sur le matelas que nous avions déroulé à la hâte, éclaboussant la noirceur de ma nuit blanche.

— Ils nous ont triés. À droite les plus jeunes, à gauche les plus vieux. Ils nous poussaient en nous mettant leur mitraillette au creux des reins et ils criaient dans nos oreilles : « *Schnell*! » On est parti dans des wagons à bestiaux. Il n'y avait pas de cabinet[1], alors on a dû faire écran avec nos vestes pour la décence, tu comprends… Puis, le train s'est arrêté à Sidi Ahmed. Ils ont recommencé à nous hurler dessus et on est arrivé dans un vignoble. Ces salauds nous ont enfermés dans les caves. Les

---

1. Façon de dire « toilettes » pour les Juifs tunisiens.

bombardements des Alliés ont retenti toute la nuit. Boum, boum, je comptais et je priais. Pourvu qu'une bombe accroche l'un d'eux, qu'elle lui explose la tête! Le lendemain, on est parti à pied à Bizerte. La ville était déserte. Plus un chat. Ils nous ont parqués dans une caserne. Ils nous réveillaient aux premières lueurs de l'aube et on allait déblayer les rues et les champs de toutes les saloperies que les Américains avaient larguées. À coup de triques et d'humiliation… Mon copain Alphonse, il a voulu s'enfuir. Ils l'ont rattrapé puis ils l'ont fusillé comme un chien devant nous, pour l'exemple.

Ses épaules étaient secouées de soubresauts. Je ramassai les pans de ma chemise de nuit autour de mes jambes et, sur la pointe des pieds, je partis me recoucher dans mon lit où le poids de tout ce malheur, de toute cette haine, me cloua la tête sur l'oreiller.

Tous les matins, la cafetière s'égosillait à siffler. Jusqu'à tard dans la matinée, les visites nous forçaient à servir un petit déjeuner qui s'étiolait. Toutes les filles de Mamina étaient réunies, suspendues comme du linge à des pinces sur une corde, emprisonnées et soumises aux bourrasques, incapables de fuir la réalité du moment. Esther, à qui Mamina avait délégué peu à peu toutes les responsabilités, vivait à la maison depuis qu'elle avait quitté, moins d'un mois après son mariage, son illustre inconnu de mari dont le nom même avait été proscrit en ces murs. De toutes les façons, j'étais trop jeune pour m'en souvenir. Germaine, ma sœur la plus proche de moi en âge et en cœur, était une personne secrète. De plus, si moi, je n'étais pas grande, elle, elle aurait pu passer pour une enfant, même si elle avait deux ans de plus que moi. Elle avait hérité, comme toutes

31

les femmes de la famille, de l'opulente poitrine de Mamina. Sur sa frêle ossature, ce poids lui occasionnait de sérieux maux de dos et lui faisait adopter une posture étrange, bras croisés en permanence, en un geste de soutien plutôt que de pudeur. Elle étudiait à l'école de couture de la Glacière. Elle n'était pas une couturière parmi tant d'autres. Elle était une véritable artiste, douée d'une sensibilité incomparable, qui confectionnait des robes qu'elle ne pourrait jamais porter, pour des femmes qui ne lui ressemblaient pas, mais dont elle devinait tout. Enfin, Ninon, qui cherchait à plaire à tout prix, ressentant le besoin impérieux d'être louée, et pour qui la quelconque faveur d'autrui se parait d'extase. Notre Ninon, notre tragédienne.

— Jacques Bensoussan n'est pas rentré chez lui, laissa tomber tonton Mardoché. Je viens de parler à Armand. Les Allemands l'ont arrêté quelques jours avant l'arrivée des Américains. Jacob, tu étais ici au chevet de Mamina. C'est normal que tu ne sois pas au courant. Seulement depuis, sa famille attend. Ils n'ont aucune nouvelle et normalement tous les camps ont été libérés... alors, ils s'inquiètent.

Mon frère leva la tête. Dans son regard, toutes les interrogations, tous les doutes du monde défilèrent, au pas cadencé.

— Comment ça, il n'est pas rentré ?

— Jacob, presque tous les membres du réseau Pérussel ont été arrêtés et ils ne sont pas rentrés chez eux, ajouta mon oncle.

— Sauf moi, murmura Jacob d'une voix lugubre.

— Et moi, renchérit Bébert, le mari de Yolande, boucher et livreur de son état.

Mon beau-frère était un bon garçon qui adorait ma sœur et rendait service à tout le monde. Il travaillait pour des Français lui aussi, tout comme Émile, et n'avait donc pas perdu son emploi. De temps en temps, un polpetone[1] tombait de son camion et se retrouvait sur notre table. Personne n'avait à redire sur le fait qu'il n'était pas cachère. Pire, nous le considérions comme le Hilouq[2]. Leur couple était très complice. Ils n'avaient pas encore d'enfants puisqu'ils n'étaient mariés que depuis quelques mois à peine. Leur mariage fut d'ailleurs le dernier événement heureux auquel ma mère participa.

— Ma sœur t'a protégé, mon neveu. Elle fut un ange durant sa vie, elle continuera de se manifester à vous. Soyez attentifs aux signes qu'elle vous adressera!

Un frisson secoua l'assistance.

Oui, c'est ça, une vie pour une vie! Vu que la mère mourait, Dieu n'allait pas zigouiller le fils, alors il a pris l'autre, marmonna Jacob. Y en a marre avec votre superstition à la con. On est presque à la deuxième moitié du XXe siècle, nom de nom!

Mon frère accusait la nouvelle, confondu en flagrant délit d'impuissance. Il se croyait plus fort que tout le monde et défiait volontiers l'autorité sous toutes ces formes. Depuis l'enfance, il s'amusait à faire des paris avec ses camarades et les provoquait en leur intimant de garder leur main sur une flamme. Il avait reçu quelques volées mémorables de mon père et avait cassé la figure en retour à plus d'un qui avait osé émettre que ce

---

1. C'est-à-dire un rôti.
2. Taxe prélevée aux abattoirs pour les Juifs pauvres.

paquet de muscles derrière une machine à coudre avait quelque chose d'insolite. Il était tailleur, un métier de Juif, disait-il fièrement. Trop juif, certainement, puisque son échoppe avait été fermée avec des scellés et une énorme pancarte rouge. Depuis, personne ne savait de quoi ils vivaient, lui et sa famille. Ils ne semblaient néanmoins manquer de rien et nous apportaient la farine pour le pain et des légumes pour le couscous.

— On les a bien fait chier en tous les cas, ajouta-t-il. On a fait sauter leurs lignes téléphoniques à l'Ariana. Il fallait voir comment ils détalaient comme des lapins quand ils s'en sont aperçus. On est même rentrés dans leur hangar et on a vidé tous les sacs de patates qu'on a pu. On se les passait de bras en bras jusqu'au camion de Bébert. Quelle rigolade! Jacques, il pissait dans ses culottes de rire. Ils n'y ont vu que du feu. Pourtant, Haupmann était à quoi… trente mètres. J'aurais pu lui cracher dessus, d'un jet, comme ça. Ouais, il était à une longueur de crachat.

Jacob riait d'un vrai fou rire, impossible à contrôler. Il s'esclaffait en se tenant les côtes. Il riait tant qu'il se mit à pleurer, secoué de sanglots. Inconsolable, il se réfugia dans les bras de tonton Mardoché qui le berça comme un enfant avant de le conduisant à sa chambre.

Émile attrapa Bébert, le mari de Yolande, par les épaules.

— Ce n'était pas suffisant qu'on ait un matador? Il fallait que tu t'y mettes, toi aussi. Votre soirée héroïque d'y a un mois, elle a causé des représailles, depuis ce temps-là! Vous savez ça au moins, ou vous vous en foutez? De plus, t'es chef de famille, mon vieux. T'as pigé? Les conneries, tu les évites, parce que, ma sœur, je l'imagine pas en veuve.

34

— Hé, lâche-le! Pour qui tu te prends, Émile? Je suis très fière de lui, moi. Il fallait faire quoi? Serrer les fesses et obéir comme des bons Juifs qu'on est? Et, en plus, on ne te demande pas ton avis, s'écria Yolande en prenant la défense de son mari.

Le ton montait et, alors que j'observai la scène, j'entendis Esther murmurer à l'oreille de mon oncle qui, alerté par les cris, cherchait à reprendre le contrôle de la situation.

— Vous pouvez vous calmer! On vous entend jusqu'à la Marsa. Jacob essaye de se reposer dans la chambre. Vous savez comment il est...

Mon oncle Mardoché imposa le silence, puis se pencha vers Esther.

— Qu'est-ce qu'il y a, Esther?

— Ce n'est pas la peine de lui dire pour Victor. Je veux dire, Jacob, il ne doit pas savoir pour Victor, répéta-t-elle un peu plus fort.

— Victor qui? demanda-t-il légèrement agacé.

— Yong Perez, le champion de France de boxe. Ils s'entraînaient ensemble au Maccabi de Tunis. Après, à Victor, la gloire lui est montée à la tête, il est parti en France et il s'est acoquiné avec une mannequin, une certaine Mireille Balin. Sa mère n'a aucune nouvelle; Mardoché Baranès, son entraîneur quand il était ici, a essayé de contacter en France Léon Bellières, son manager. Rien non plus. Il a été déporté, il semblerait...

Elle continua, comme se parlant à elle-même, se remémorant une scène :

— À son départ pour la France, Jacob et lui se sont disputés. Il n'était pas d'accord avec ses choix. J'étais là. Jacob criait : «Tu ne vois pas qu'elle se moque de toi, et les Parisiens, ils vont faire comme elle. Tu vas devenir au mieux une bête de foire, au pire un sujet de plaisanterie! Ici, on te comprend, on t'admire pour ce que tu es!» Jacob a quand même continué à suivre ses exploits sportifs dans la presse. C'était son meilleur ami, expliqua Esther à l'assemblée sous le choc.

Tant de disparus, de jeunes introuvables. Alors que la nouvelle aurait dû me terrasser, elle m'apporta au contraire de la consolation. Mamina n'était pas taillée pour tant de tristesse. Elle n'aurait jamais pu supporter les larmes de ses amies pleurant leur fils. Le Bon Dieu faisait, après tout, peut-être bien les choses.

Enfin, celle que j'espérais le plus arriva un midi. Rina, ma sœur de lait, avait pu se libérer. Elle m'enlaça et le trou qui se nichait au creux de mon estomac depuis trop longtemps, ce manque douloureux d'elle, s'évanouit, disparut comme par magie au seul contact de son corps, au seul son de sa voix. Nous avions neuf mois de différence et j'étais juive, elle musulmane. Cela n'eut aucune importance lorsque son père, notre voisin de palier, frappa à la porte de Mamina avec, dans ses bras, son nourrisson braillant à tue-tête. Sa petite fille venait de naître et sa femme de mourir. Il fallait nourrir l'enfant de peur de la perdre elle aussi. Rina resta chez nous jusqu'à ses deux ans. Elle était ma sœur et elle ne pouvait épouser mon frère, ni moi le sien, même si nous n'étions pas du même sang. Je la trouvais belle, grande et un brin provocante. Son père, un homme dur et égoïste, collectionnait les épouses comme d'autres les boîtes d'allumettes. Elle me parut amaigrie, les traits tirés.

— Ça va, ma douce? Tu as l'air fatiguée, lui demandai-je du bout des lèvres.

36

— Je pense que c'est plutôt à moi de te renvoyer la question.

— Franchement, je suis dans le brouillard, je ne comprends pas ce qui m'arrive, je marche comme sur du coton.

Elle savait le reste de ma famille plus mesurée à son égard. Bien sûr, ils l'aimaient beaucoup, mais avec retenue et circonspection. Pour moi, il en était autrement. Nos âmes étaient sœurs, aussi ne fus-je pas étonnée lorsqu'elle me tira vers le balcon, à l'écart de tous. Nous restâmes là, sans rien dire, enlacées et muettes. Enfin, elle brisa le silence.

— Sarah, tu dois faire attention à toi et le dire aux autres. Les Arabes commencent à s'organiser. Il y a des rumeurs nationalistes qui courent. Vous risquez d'être pris en sandwich, vous les Ahl al-kitâb[1], entre les Arabes et les Français et pourquoi pas les Forces alliées. Il ne faut pas faire confiance à ces Américains.

— Tu dis n'importe quoi! La guerre est finie, Rina. C'est chez nous ici. Le soleil brille pour tout le monde, m'exclamai-je sur un ton qui se voulait entraînant.

— Écoute-moi bien. Bourguiba, l'avocat qui a étudié à Paris, à lui aussi je ne fais pas confiance. Il n'est pas comme le Bey. À propos, tu sais que les Français l'ont accusé de collaboration. Ils l'ont arrêté aujourd'hui, à Hammam-Lif. Il va devoir abdiquer.

— Pourquoi? Lui, il nous avait aidés. Il nous a traités comme des citoyens tunisiens à part entière, pas comme des Juifs.

---

1. « Les gens du Livre », les Juifs, en arabe.

— Je sais, me calma-t-elle, je voulais seulement te prévenir que les temps changent pour tout le monde.

Rina resta manger. Elle s'assit par terre à côté de moi, et en silence, comme tous les enfants de Mamina, elle ramassa ses miettes. Personne n'osa lui dire que ce n'était pas sa place. Elle avait perdu la seule mère qu'elle n'ait jamais connue. Elle fit la prière sur le pain qu'elle connaissait par cœur et récita le Kaddish, le psaume des morts, main dans la main avec moi.

La fin de l'abil fut marquée par l'arrivée des rabbins. Ils nous firent lever. Les chants s'égrenèrent. Notre quotidien reprendrait doucement, chacun vaquerait à ses affaires. La vie vainquait la mort, temporairement du moins. Nous étions en fin d'après-midi et mes belles-sœurs avaient préparé des petits sacs remplis de mendiants : des pistaches, cacahuètes et noix de cajou. En les dressant sur le plateau argenté, je fus saisie de panique. C'était à moi que revenait désormais la tâche de mettre la table tous les soirs. Combien d'assiettes devrais-je poser sur la nappe blanche à laquelle ma mère tenait tant ? Je comptais et recomptais sur mes doigts le nombre de couteaux, de verres, de fourchettes. Et si je me trompais ? Mon père se fâcherait. Mon esprit tournait à vide, perdu dans le labyrinthe de mes terreurs, quand Émile vint m'accoster, Germaine à ses côtés.

— Ils vont rouvrir les écoles et faire passer des examens pour évaluer les niveaux.

La première bonne nouvelle que j'entendais depuis une éternité.

— Germaine va continuer. Il ne lui reste qu'un an. Seulement, toi, Sarah… Tu dois chercher du travail. Papa ne peut pas recommencer d'un coup. Je vais essayer de lui trouver quelques heures, par-ci par-là. Donc, tu vas nous aider. Avec ton don des langues, cela ne devrait pas poser de problèmes, non ? Les Américains recrutent des secrétaires, à ce qu'il paraît…

Non, bien sûr, pas de soucis. Adieu tous mes rêves de littérature échevelée. Je devais obéir à mon frère.

Les paroles du Kaddish résonnèrent dans mon vide intérieur :

Pour Israël et ses rabbins, et leurs étudiants, et tous les étudiants de leurs étudiants, et tous ceux qui s'affairent dans la Torah ici et en tout autre lieu, que soit instaurée sur eux et vous une paix abondante. Qu'il y ait une grande paix venant du Ciel, ainsi qu'une bonne vie et la satiété, et la salvation, et le réconfort, et la sauvegarde et la guérison, et la rédemption et le pardon et l'expiation, pour nous et pour tout Son peuple. Amen.

3

— Sarah ! Tu peux arrêter deux secondes et m'écouter.

Je fis taire le cliquetis des touches du clavier et prêtai attention à Ninon qui, au milieu de la cuisine, brandissait un journal. Elle lut avec emphase :

Le défilé des troupes victorieuses a eu lieu le 20 mai, avenue Gambetta, sous un soleil éclatant. Une foule immense est venue acclamer les troupes alliées et leurs chefs, les généraux Eisenhower, Giraud, Juin, Montgomery, Anderson, Leclerc, Barré, Koenig et d'autres chefs prestigieux. Ce fut un défilé mémorable : spahis[1] à cheval dans leurs manteaux rouges, légionnaires bronzés et barbus, goumiers[2] à dos de méharis, Sénégalais ceinturés de rouge, zouaves et tirailleurs avec leurs drapeaux effrangés, tabors[3] marocains précédés de leur bouc fétiche, Corps francs portant à leur casque la Croix de Lorraine,

---

1. Les spahis étaient des unités de cavalerie appartenant à l'Armée d'Afrique, qui dépendait de l'Armée de terre française.
2. Les goumiers, soldats marocains, appartenaient à l'Armée d'Afrique et dépendaient de l'Armée de terre française.
3. Les goumiers se sont surtout illustrés lors de la Seconde Guerre mondiale, au cours de laquelle les Groupements de tabors (régiments) et goums (compagnies) ont obtenu, entre 1942 et 1945, dix-sept citations collectives à l'ordre de l'Armée et neuf à l'ordre du Corps d'Armée, puis en Indochine de 1946 à 1954.

fusiliers marins, artilleurs sur leurs canons géants, ceux des chars d'assaut sur un train d'enfer, tandis que les escadrilles d'avions évoluaient dans l'azur étincelant ; les unités anglaises aux costumes pittoresques, les soldats américains impeccables, toutes ces troupes glorieuses défilèrent sous les acclamations de la foule[1].

— Tu te rends compte, soupira-t-elle, quand je pense que nous avons manqué ça.

— Ninon ! la reprit sèchement Esther. Nous sommes en deuil ! Tu ne pensais pas que nous allions te laisser courir dans la rue après les soldats, comme toutes ces dévoyées.

Je pris un air dubitatif. Je n'aurais jamais pu me rendre à cet événement même si nous en avions eu le droit. Le bruit m'aurait fortement incommodée. Je savais que ce que je ressentais et la façon dont j'analysais la situation étaient aberrants et incompréhensibles pour tout autre que moi. Pourtant, il s'agissait de mon sentiment. J'avais vécu la phase finale de la maladie de ma mère comme une immersion, au sens concret du terme. C'était stupéfiant de voir comme la vie jouait avec les dates. L'aggravation de son état avait correspondu presque jour pour jour à l'entrée des Allemands dans Tunis, son enterrement à celui des Américains. Dès qu'elle s'était alitée, j'avais donc plongé, comme dans le bain du mikvé[2], entièrement, et les bruits du dehors m'étaient parvenus étouffés et déformés. Le fait que l'école

---

1. Document authentique, disponible sur le site www.Harissa.com.
2. Bain rituel de purification pris par les Juifs lors de certaines occasions.

se soit arrêtée, que je sois restée seule avec mon père, mon oncle Mardoché et Esther, quasi cloîtrée à la maison, avait amplifié cette sensation. Je n'avais ainsi pas ressenti la guerre. J'avais entendu vaguement toutes sortes de choses, comme les séquestrations, les viols dans la Hara, l'amende exorbitante, les difficultés de mes frères, mais je n'avais pas éprouvé le sentiment de terreur qui les accompagnait. Ma terreur à moi, plus forte que tout, avait été de perdre ma mère et m'avait empli totalement, occultant tout le reste, me rendant presque sourde et aveugle.

Je me devais de remonter doucement à la surface et cet entretien d'embauche se révélait un moyen comme un autre. J'esquissais une moue de souffrance.

— Toi, garde pour toi tes grimaces, menaça Esther, et retourne t'entraîner. Comme s'ils allaient te prendre… Enfin, on peut toujours rêver !

Elle avait parfaitement raison. Je m'escrimais depuis quinze jours maintenant à taper en aveugle sur cette vieille machine que l'on m'avait prêtée, un carton sur les mains et une méthode Pigier de dactylographie sur la table. Je devais être prête pour le test d'embauche qui aurait lieu demain et où toutes les jeunes femmes « désœuvrées » de la ville se donneraient rendez-vous. J'espérais même y retrouver quelques amies, malgré de minces espoirs. Toutes avaient dû retourner à l'école, forcées par leur mère. Il fallait que je décroche cet emploi. L'argent m'était secondaire, mais je devais m'échapper de cet appartement devenu trop grand où, paradoxalement, j'étouffais. Avant de m'endormir, je priai la lune[1] de m'exaucer.

---

1. La nouvelle lune indique le début du mois hébraïque.

Le lendemain, sur une plaque de cuivre, il était inscrit : « Bureau des Forces armées alliées, Heures d'ouverture de 6 h à 12 h et de 16 h à 18 h », et sur un morceau de papier collé par un sparadrap : « Pour les tests d'embauche, sonnez à la porte des livraisons. »

J'étais dans la file d'attente au 9, rue Es Sadikia, comme le gribouillis sur mon papier le stipulait, depuis près de deux heures maintenant et ma patience allait être récompensée. Une jeune femme blonde, grande et distinguée, me conduisit à une chaise devant une machine à écrire noire. Je pouvais voir les touches dorées de l'alphabet s'étendre devant moi.

— Mademoiselle, vous devrez taper ce texte de cinq cents mots sans fautes et ensuite, votre feuille à la main, vous vous présenterez au bureau au fond du couloir, à gauche. Bonne chance !

De la chance, il allait falloir que j'en aie. Je n'avais jamais tapé sur une machine avec un clavier « qwerty » auparavant et mes doigts maladroits se cognaient sur les touches, desquelles s'exhalait un craquement sec et métallique à chaque frappe.

Je me sentais humiliée dans cet univers hostile alors que j'avais été une excellente élève à l'école, où tous les enseignements m'avaient profité. Tout d'abord, j'y avais appris la propreté. Il fallait prendre un bain pour s'installer derrière les tables qui nous servaient de pupitres, au milieu desquelles était percé un trou pour recevoir l'encre où nous plongions nos plumes. D'ailleurs, pour la rentrée, ma mère se moquait gentiment de nous en nous chantant la comptine du bâton et de l'eau chaude.

Ensuite, la compétition. J'avais connu les coups de règles sur les bouts des doigts, les bonnets d'âne et les cahiers épinglés sur le dos. J'avais aussi conquis les récompenses, les prix d'excellence et d'honneur, et la fierté de recevoir mon certificat d'études primaires, passeport à un avenir prometteur. Enfin, l'entraide. On nous donnait les livres d'école et nous achetions des cahiers, à peine entamés, au marché aux puces de la rue de la Semoule. Une fois par an, pour la fête de Pourim, on nous distribuait des chaussures. La maison du secours offrait des déjeuners gratuits aux écoliers les plus pauvres. Je pensais pouvoir continuer mon secondaire à la rue Malta-Srira.

La vie en avait décidé autrement.

J'avais envie de pleurer. Mais à quoi bon! Cette entrevue d'embauche était une véritable aubaine.

Nous finissions à peine le mois de deuil[1] et je devais reconnaître que j'étais très ébranlée. Le vide que Mamina avait laissé semblait impossible à combler. Mes nuits étaient courtes, agitées.

J'avais eu, pour la première fois sans elle, mes règles. Comme toujours, j'avais passé la journée au lit, recroquevillée, murmurant son nom. Elle n'était pas venue avec le fer à repasser tiède à mettre sur mon ventre. Je me souvenais parfaitement du jour où j'avais trouvé une tache brune sur ma culotte blanche. J'étais persuadée que j'allais mourir de honte et de maladie. Je m'étais réfugiée sur la terrasse où je l'avais frottée

---

1. Le deuil juif se découpe en trois : la semaine, le mois et l'année. Chacune des étapes est finalisée par des prières et une distribution de noix ou, suivant les familles, un repas.

avec du savon, jusqu'à ce que mes mains rougissent comme des coquelicots. Malgré toute la gent féminine qui habitait à la maison, jamais je n'avais eu la moindre indication sur ce qui régissait son cycle.

Mamina était venue me rejoindre et s'était accroupie à mes côtés, au milieu des draps qui séchaient et de mes dessous trempés. Elle m'avait doucement expliqué que plus rien ne serait pareil, maintenant, que j'étais devenue une femme, qu'elle en était heureuse, mais qu'un tel bouleversement engendrait son lot de responsabilités, sinon ce serait honteux. Je devrais donc me débrouiller pour que personne ne le sache, être responsable de la propreté de mes «changes», ne plus m'asseoir en écartant les jambes et, surtout, éviter les garçons.

Des tas de questions se bousculaient dans ma tête : est-ce pour cela que papa et toi avez deux lits dans votre chambre? Quand Jacob, énervé, disait à propos de sa femme : «Laissez-la, ce n'est pas le bon moment pour elle», il parlait de cela? Quand Éliette, ma copine de classe, avait arrêté de venir aussi souvent se baigner avec nous, c'était également à cause de cela?

Bien sûr, je me tus. Puis, du creux de ses seins où elle cachait les choses les plus importantes comme son porte-monnaie ou son mouchoir, elle sortit un kholkhal[1]. Le bracelet était en or très pâle, de forme cylindrique d'une dizaine de centimètres de largeur avec des ciselures délicates triangulaires ornées de minuscules clochettes qui tintinnabulaient dès qu'on l'agitait. Ah! Ma mère, tu m'avais offert un ancien joug d'esclave pour me rappeler ma nouvelle condition de femme, soumise. Je savais

---

1. Le kholkhal est un bracelet d'esclave d'origine berbère.

que tu n'avais pas mesuré ton geste ni même pensé que, si je décidais de m'enfuir, le bruit réveillerait mon geôlier.

— Voici ton premier bijou, j'espère que ton mari te couvrira d'or…

Alors que je me blottissais dans ses bras, posant ma tête sur sa large poitrine d'où s'exhalait un parfum de farine et d'agrumes, je ne répondis rien, voulant juste profiter de ce moment d'intimité avec ma mère, si rare que je me pris à bénir ce qui l'avait fait me porter une attention particulière.

Quand mon apprentissage commença par des douleurs tellement fortes que je pleurais, agrippée à mon coussin, je regardai le bracelet doré qui ornait mon poignet et je compris pleinement la signification de ce cadeau, aussi inattendu qu'extravagant, en m'imprégnant de la souffrance qui pave la vie de toutes les femmes du monde.

Mon examen d'embauche tournait au mélodrame. Ma page était cornée, le ruban de la machine emmêlé, et la jeune dame élégante se dirigeait maintenant vers moi de sa démarche chaloupée.

— Mademoiselle, veuillez prendre votre feuille. Mademoiselle Cousergue va vous recevoir.

— Attendez! Je n'ai pas fini…

— Cela ne fait rien, je suis sûre que cela suffit pour se donner une idée de vos capacités.

Son ton était un brin condescendant.

— Mes capacités sont énormes, merci beaucoup!

Que m'avait-il pris de répondre comme cela? Arrogante. J'étais une jeune fille têtue et arrogante, et je ne pouvais pas m'offrir ce luxe, car j'étais une jeune fille pauvre. Voilà ce que mon frère me répétait tout le temps. Je n'avais pas les moyens de mon tempérament.

Je me levai et empruntai la direction qu'elle m'indiquait avec sa main.

Les locaux étaient spacieux et propres. De gros ventilateurs brassaient l'air étouffant de ce début d'après-midi de l'été tunisien. Je n'étais pas incommodée par la chaleur, elle était un cadeau bonus obligatoire dans mon pays. De plus, je ne transpirais pas, ma peau semblant immunisée contre cet embarras.

Les lieux se divisaient de droite et de gauche. Je lus sur une plaque verte écrite en lettres noires : «Agnès Cousergue, responsable du personnel». Je frappai à la porte.

— Entrez!

Mademoiselle Cousergue était là, derrière son bureau, et lisait ce qui semblait être un rapport ou un document important. Elle ne leva même pas la tête et je restais pétrifiée, ne sachant pas si je devais avancer ou demeurer à ma place, lissant ma nouvelle jupe cousue par Germaine.

Elle était blonde platine et ses cheveux courts et bouclés étaient retenus par un bandeau bleu marine à pois blancs. Je pouvais apercevoir de grosses boucles d'oreilles accrochées à ses lobes. À son cou pendait une discrète croix en or. Ses ongles étaient vernis d'un vermillon du plus bel effet.

Elle tenait une cigarette, entre son index et son annulaire. Le bout filtre portait la trace de son rouge à lèvres vermillon. Un parfum de menthe tournoyait au-dessus de son bureau. Elle tirait bouffée sur bouffée, et soupirait légèrement quand elle expirait. Je n'avais jamais rien vu de tel. Elle ressemblait à ces vedettes des affiches de cinéma où je n'étais jamais allée.

J'étais fascinée. Je me sentais si insignifiante que j'aurais voulu disparaître dans un trou de souris. J'étais un tout petit bout de femme, comme mes frères se plaisaient à me le faire remarquer. Un mètre cinquante-huit, c'était peu et je n'avais pas espoir de grandir encore. Surtout, j'avais l'air d'un bébé.

J'étais demeurée de longs moments à m'examiner dans la glace, à dresser un état général objectif de mon apparence. Mes cheveux étaient noirs, presque bleus, et ma peau mate. J'aurais pu sans difficulté me faire passer pour une Asiatique. Mes yeux étaient très foncés et beaux, ma bouche bien dessinée. J'étais jolie. Mes jambes étaient très fines et galbées, mes hanches petites. Cependant, je n'avais pas de taille et ma poitrine était lourde. L'ensemble demeurait satisfaisant.

Le contraste le plus notable chez moi, malgré mon visage poupin, était la froideur qui se dégageait de ma physionomie. J'avais la maturité des enfants qui ont grandi trop vite et la détermination des désespérés. Ce décalage palpable rendait mes tantes nerveuses. Elles anticipaient des problèmes pour me trouver un mari et je les avais surprises en train de soupirer de contrariété. Les hommes aimaient les femmes obéissantes. Je ne l'étais pas.

Je ne voulais pas me marier.

Je ne voulais pas d'enfants.

J'attendais depuis un long moment déjà et mademoiselle Cousergue ne semblait pas décidée à me parler. Je demeurais là, pantoise. Ma main nerveusement chercha ma mèche de cheveux favorite. Je luttai pour ne pas l'enrouler autour de mon index, il ne manquait plus que je me transforme en Shirley Temple pour cette entrevue, si entrevue il y avait!

Agnès Cousergue releva la tête et je pus lire la stupéfaction se refléter dans ses prunelles onyx.

— Oh, mon Dieu! Pour qui allez-vous me prendre? Je vous avais totalement oublié, le blanc… J'ai vraiment honte de moi!

Une Française, une vraie, avec un accent pointu et tout et tout. Sans doute une Parisienne, ce qui expliquait sa sophistication. Elle semblait sincère et surtout si chaleureuse. Elle était très jeune, cinq, peut-être six ans de plus que moi : étonnamment jeune pour occuper un poste avec une telle responsabilité. Elle se leva et contourna le bureau, me présentant un siège afin que j'y prenne place.

Elle était grande et large. Sa robe à la jupe plissée minimisait habilement ses hanches et mettait en valeur la finesse de sa taille. Elle me tendit sa main gauche, la droite tenant toujours sa cigarette, je compris que je devais lui remettre ma feuille dactylographiée. Elle ne sembla pas la voir et retourna à son fauteuil.

— Alors? me demanda-t-elle le plus naturellement du monde.

Je me mis à remuer sur ma chaise et à me racler la gorge.

— Je vous demande pardon.

— Qu'est-ce qui vous amène ici? Vous avez l'air si jeune, un petit bout de chou! ajouta-t-elle en me gratifiant d'un sourire engageant.

— Vous aussi!

Et voilà… Ma langue, pourquoi est-ce que je ne pouvais pas tenir ma langue?

Mademoiselle Agnès Cousergue de Paris éclata d'un rire tonitruant. Je l'avais fait rire et je m'accrochai désespérément, pendant les quelques minutes qui suivirent, à l'idée que cela ne pouvait rien présager de négatif.

— C'est vrai, vous n'avez pas tort, mais il y a toujours des raisons pour lesquelles les choses sont ce qu'elles sont. Je connais les miennes. J'aimerais découvrir les vôtres.

Son ton était doux et sans une pointe de jugement ou de reproche, sa voix, mélodieuse et hypnotique. Je me sentais honteuse d'avoir été si cavalière avec elle. Alors, pour la première fois de ma vie, moi, Sarah Ouzari, à qui on avait enseigné depuis sa plus tendre enfance la méfiance, je me suis confiée à une étrangère.

Agnès écouta sans m'interrompre, dodelinant de la tête à l'évocation du décès de ma mère. À la fin de mon récit, elle écrasa sa cigarette dans le cendrier qui se trouvait à la gauche de son sous main.

— Vous n'êtes pas sans savoir que l'époque que nous vivons est des plus troublées. J'attends des gens qui travaillent avec moi loyauté, disponibilité et une discrétion à toute épreuve. En effet, il se peut que vous ayez accès à des documents confidentiels. L'Afrique du Nord tient une place primordiale dans ce conflit, sinon le général de Gaulle n'aurait pas pris ses quartiers à Alger pour y former le Conseil français de la libération nationale.

— Cela va de soi, madame, vous pouvez compter sur moi.

— Je suppose également que vous avez compris la position particulièrement délicate des Français qui sont là, et ce, par le biais de la proclamation du général Giraud émise à la libération de Tunis.

— C'est le jour où ma mère est morte et a été enterrée, répondis-je, gênée. Il est possible que cela m'ait échappé.

Elle sortit un papier de son sous-main et me le tendit

— Et bien, lisez-le et faites-vous une opinion par vous-même.

Je pris le tract entre mes doigts qui tremblaient légèrement et la vis du coin de l'œil allumer une autre cigarette. Elle en exhala la fumée en penchant sa tête en arrière, étirant son cou, puis elle se carra dans son fauteuil. Je lus :

> Habitants de Tunis! Les Forces de la libération
> viennent d'entrer dans votre ville. Le drapeau
> tricolore flotte à nouveau sur la Tunisie délivrée.
> L'union des Français et des Tunisiens, qui a
> donné à ce pays soixante années de prospérité,
> va enfin renaître. Habitants de Tunis! Je vous
> apporte le salut de la France. Je vous remercie
> de la fidélité que vous avez su lui garder durant
> les mois d'épreuves. La patrie vous en saura
> gré... Vive la France! Vive la Tunisie[1]!

Je reposai la feuille sur son bureau et, consciente que mes paroles seraient déterminantes pour mon embauche, je lui dis :

— Nous nous trouvons au siège des Forces alliées. La France est plus ici que sur son propre territoire. Pourtant, nous ne sommes qu'un protectorat et peut-être que certains nationalistes ne seront pas en accord avec cette notion de patrie. De

---

1. Texte authentique du tract distribué à la Libération.

plus, il y a les autres… je veux dire les Américains et les Anglais. Je suppose que personne ne veut danser avec un cavalier qui vous marche sur les pieds! Je dois donc être très prudente, tourner ma langue sept fois dans ma bouche avant de parler et vous référer de tout.

Agnès rit encore.

— On peut dire cela comme ça. À propos, c'est vrai que vous parlez couramment trois langues?

— Absolument!

Ma réponse fusa.

— Je veux bien vous croire. J'espère que vous ne verrez pas d'inconvénients à suivre un stage intensif d'anglais. Il sera donné par des officiers des renseignements, ils ont leur méthode. En un rien de temps, vous vous exprimerez parfaitement, si en plus vous êtes douée… À propos, Sarah, appelez-moi Agnès. Bien, je pense que nous sommes d'accord, un petit tour de passe-passe s'impose donc.

Elle fit pivoter son fauteuil et se pencha sur sa machine à écrire. J'entendis le doux clapotement d'un texte qui avait trouvé son maître.

— Voilà, je vous attends lundi à six heures.

Elle me tendit la feuille.

— Donnez ceci à Françoise, la secrétaire à l'entrée, avec ce billet. Elle saura quoi en faire.

— Mer… ci…

Je balbutiais, j'étais submergée par les émotions.

— Merci à vous d'avoir bien voulu me confier des détails aussi personnels et d'avoir répondu à mes questions avec franchise. Je sens que nous allons devenir de grandes amies.

Elle fit sonner sa dernière phrase non pas seulement comme une promesse, mais plutôt comme une prophétie. Et alors que je remontais le couloir en sens inverse, je ne pouvais pas m'empêcher de penser qu'aujourd'hui, ma vie avait pris un tour nouveau et que les anges fumaient des Royal mentholées.

4

À Tunis, fais comme les Tunisois.

Oui, mais les Tunisois ne faisaient rien comme tout le monde. Cette ville servait de décor à une somptueuse pièce de théâtre. Les couleurs étaient éclatantes et les mets envoûtants. En fait, chaque coin de rue de Tunis révélait une beauté toujours empreinte de bizarrerie, de folie, de passion, et ses habitants en étaient ses dignes héritiers.

En remontant la rue Sidi Bou Ahdid, je contemplai les murs blanchis à la chaux, mais surtout les portes d'entrée. Certaines étaient de véritables chefs-d'œuvre de maître-artisan, toutes en bois naturel et parées des différentes couleurs primaires. À mes yeux de connaisseuse, seul le bleu méritait ses lettres de noblesse. J'étais devenue une experte en matière de nuances. Je percevais les vibrations qui se dégageaient de chacune d'elles et je me délectais à jongler avec leur dénomination, cherchant l'évocation la plus juste, la plus savoureuse.

Le jour où, à l'école, le professeur nous avait lu un poème sur l'azur, c'est-à-dire le ciel, mon pouls s'était accéléré. En arabe, bleu se dit azreq, et la corrélation m'apparaissait couler de source. J'en avais fait la remarque et cela avait fait rire mes amies de classe et laissé coi mon instituteur, qui n'obtint plus une seule opinion créative de ma part de toute l'année. Depuis ce jour, ma fascination pour le bleu du ciel de Tunis et de ses portes n'avait fait que grandir. Je les répertoriais dans un carnet que je prenais lors de mes promenades solitaires. J'accordais des petits noms à mes préférées : la grand-mère au nez crochu,

55

la tortue centenaire… Je les cataloguais suivant leurs imperfections touchantes. À vrai dire, un œil moins aguerri que le mien n'aurait sans doute pas fait la différence. Toutes avaient deux vantaux réunis sous une voûte arrondie soutenue par des colonnes plus ou moins ouvragées. Leurs principales décorations se composaient de clous, représentant avec simplicité des mains de Fatma ou des poissons.

L'accès en était bas et il fallait franchir le seuil légèrement courbé. Cette révérence obligatoire faite à la maison et à ses propriétaires, n'était-elle point le comble du raffinement, du respect et, plus largement, du savoir-vivre ? Comme dans le conte de Boucle d'or, trois poignées reliées à trois sonnettes différentes étaient réservées à des visiteurs au statut protocolairement défini. Celle en haut à gauche signalait les invités et son pendant, en haut à droite, le patriarche. Enfin, la plus petite en bas à droite servait à l'épouse et aux enfants.

Ces portes ne délimitaient pas avec clarté l'extérieur de l'intérieur, puisqu'elles étaient le prélude à des cours ombragées où il faisait bon prendre une citronnade et des kaaks[1]. J'avais développé une véritable dépendance à ces gâteaux durs et polis comme des cailloux, qui fondaient quand on les trempait. Ma mère en faisait tous les matins.

Depuis mon lit, je l'entendais sortir la bassine en fer-blanc de dessous le comptoir. Puis, elle allait chercher le demi-kilo de farine, les deux cents grammes de sucre, la gousse de vanille, le demi-verre d'huile, la pincée de sel et, enfin, les trois œufs qui s'ouvraient dans un craquement sec au contact du rebord du

---

1. Gâteaux très secs et sucrés.

contenant. J'anticipais le clapotis qui s'exhalait de la pâte lors de son pétrissage sur la planche de bois. Au bout de quelques minutes, Mamina la roulait entre ses paumes et, du bout de ses doigts habiles, elle façonnait des bâtonnets épais comme un annulaire, longs d'une dizaine de centimètres, qu'elle transformait en couronne en les refermant d'un pincement d'ongles expert. Lorsque j'entendais claquer la porte du four, fonctionnant comme un kanoune[1] au charbon et nous réchauffant les nuits d'hiver, je savais que je disposais de vingt-cinq minutes pour me préparer pour l'école où, mes sœurs et moi, nous nous rendions à pied. La merveilleuse odeur, qui emplissait la maison tout entière, était ma principale motivation pour enfiler le tablier à carreaux que je détestais, mais qui camouflait nos pauvres vêtements.

Dès mon plus jeune âge, durant la sieste obligatoire du shabbat, je m'imaginais que le paradis se cachait derrière l'une de ces portes qui me fascinaient, et que Dieu trempait dans son verre ces kaaks qui me ravissaient les papilles, en nous attendant. J'étais persuadée qu'Il goûtait en ce moment les pâtisseries de Mamina et qu'Il trouvait qu'elles étaient les meilleures au monde. Voilà ce qui surgissait dans mon esprit enfiévré après cette entrevue pour le moins surprenante : Dieu, ma mère et des gâteaux. Pour moi, un trio qui se justifiait parfaitement.

Je n'avais pas encore compris ce qui s'était passé dans ce bureau, ni comment j'avais dans la main mon badge d'identification que je devais épingler bien visiblement dès lundi. Chose

---

1. Fourneau bas, en terre ou en métal, apparenté au brasero, utilisé en Afrique du Nord pour le chauffage ou la cuisson des aliments.

certaine, cet après-midi-là, l'attention entière de la maisonnée allait être portée sur mon nouvel emploi inespéré. Émile serait si fier de moi !

Je remontais ma rue, le cœur léger, quand je fus surprise de voir un attroupement au niveau de mon immeuble. Mon pouls se mit à battre plus fort alors que j'accélérai le pas. Ma famille avait subi son lot de malheurs et je priai tous les saints que rien de grave ne soit arrivé.

Des sifflements admiratifs se firent entendre du rassemblement composé presque exclusivement d'hommes, entremêlés de rires provenant du petit groupe de femmes qui se tenaient en arrière. Je commençai à courir, bien qu'un peu plus rassurée. Je me faufilai et levai la tête pour apercevoir ce qui se passait au deuxième étage de mon immeuble, sur notre balcon : Ninon, ma sœur, était en train de jouer de l'oud, le luth oriental. La théâtreuse qui l'habitait rendait hommage à l'art que Habiba Msika de Tunis avait peaufiné à mort, celui d'une tragédienne et d'une interprète exceptionnelle.

Ninon, en nouvelle Habiba Msika, berçait l'instrument, plutôt que de le tenir, entre ses bras nus et galbés. Elle chantait une mélopée à la gent masculine du voisinage. Je gageai qu'elle nierait, ferait comme si elle ne s'était aperçue de rien, toute à son interprétation. Elle se pâmait, la tête renversée, ses yeux de braise mi-clos et de ses lèvres s'échappaient des sons suaves. Ses joues étaient très rouges. Je savais, pour l'avoir surprise, qu'elle avait pris le papier enveloppant le chocolat Poulain, l'avait humecté avec sa langue et frotté sur ses pommettes. Sa chevelure roussie au henné ondulait sur ses épaules qu'elle avait joliment potelées, comme le reste de son corps d'ailleurs.

Ninon faisait un tabac, la foule en redemandait. J'entendis un commentaire grivois fuser d'un garçon, comme si ma sœur était une libertine dont la conduite méritait ce traitement.

— Dis donc, cria-t-il, y'a du monde au balcon !

Ses compagnons gloussèrent bruyamment à cette bonne blague.

Habiba Msika était l'idole de ma sœur et l'égérie de tout Tunis depuis les années 20, mais à partir de sa mort tragique le 20 février 1930, elle était devenue un mythe. Cette inspiratrice, portée en triomphe par une génération en quête de reconnaissance sociale, fut brûlée comme une sorcière de Salem par un homme dépassé par son désir absolu de liberté. Il est vrai que ses choix furent outrageux et ce, sans même faire référence à l'époque.

Elle était issue d'une famille juive pauvre de Tunis, qui lui avait fait suivre des cours de chant très jeune et l'avait mariée avec son cousin, Victor Chetboun. Ce genre d'union autorisait aux chanteuses de se produire sans crainte de passer pour des prostitués. Le mariage ne dura pas et lors d'un concert, elle rencontra son premier amant, le ministre Aziz. Il lui ouvrit les portes de la haute société, lui permit de côtoyer les grandes figures artistiques européennes : Coco Chanel, Pablo Picasso. Ils parcoururent l'Europe ensemble, mais rentrèrent toujours à Tunis pour qu'elle y donne des spectacles.

Ses fidèles la vénéraient. D'ailleurs, ses plus fervents admirateurs se regroupèrent en une escouade, les Soldats de la nuit, et sans leur intervention, une émeute aurait éclaté lorsqu'au mois de mars 1925, elle interpréta Roméo et embrassa Juliette. Elle était insatiable, se mêlait de tout, même de politique, et brava la morale en prenant simultanément le prince Fouad d'Égypte et Eliahou Mimouni, un juif très riche, comme amants.

Elle décida d'épouser finalement son ami d'enfance, Mondher Maherzi, dont elle portait l'enfant. Eliahou Mimouni ne put supporter cet ultime affront et l'aspergea d'essence dans sa résidence tunisoise et jeta l'allumette meurtrière. Presque vingt ans plus tard, Habiba Msika, bien qu'idolâtrée, représentait toujours le paroxysme du pêché pour une jeune fille juive. Il n'y avait pas l'ombre d'un doute que les hommes de ma famille ne pourraient tolérer une quelconque velléité, cependant improbable, que Ninon suive ses traces.

Je volai jusqu'à l'appartement et me précipitai sur le balcon, espérant arriver avant mes frères. Émile et Jacob étaient déjà sur place, sortant de je ne sais où, tous les deux dans une colère noire.

— Rentre ici ! hurla Émile d'une voix de stentor, les veines de son cou se gonflant, proches de l'explosion.

— Tu es la honte de cette famille, jamais personne ne voudra de toi, Kahba[1] ! Douniya[2] ! Fille de rues…

— Émile, calme-toi, je n'ai rien fait. Ce n'est pas ma faute s'il y a des gens qui apprécient mon talent et qui…

Elle ne put finir sa tirade, la coupe avait débordé, tout l'immeuble trembla de la gifle magistrale que mon frère Émile lui administra et ma sœur le regarda, hébétée, n'en revenant pas. Elle suffoqua et sa joue se piqueta instantanément de points violets. Des larmes coulèrent du coin extérieur de ses

---

1. « Prostituée ».
2. « Mauvaise », ou « fille de mauvaises conduites ».

prunelles. Ainsi, je pus remarquer qu'elle avait également maquillé ses yeux avec du khôl, parce que l'eau était grise. J'en fus heureuse pour elle. Au moins, elle avait franchi une bonne partie des interdits qui entravaient ses rêves. Cela justifiait une telle raclée et l'humiliation. Seulement, elle avait de la classe, Ninon. Elle ramassa son instrument, son écharpe à franges dont elle se drapa avec ostentation, releva son menton et sortit, telle une martyre.

La maison était sens dessus dessous. Tout le monde hurlait et donnait son avis. Des «Mon Dieu, comme c'est honteux!» gros comme le bras fusaient à travers l'appartement et sans doute à travers la ville tout entière.

Les garçons se réunirent autour de la table et mes autres sœurs se bousculèrent à la cuisine pour dresser à la dernière minute une kémia[1] qui aurait un peu d'allure. On attendait le père. Je devinais que Jules ne serait pas là. Je savais qu'il errait dans les bouges et les bas-fonds, soûl du matin au soir, et je ne comprenais pas ce qui retenait ma belle-sœur de le flanquer dehors, si ce n'est qu'elle faisait partie de ces femmes pour lesquelles la pire des hontes était le célibat et qui préféraient tolérer l'ivrogne qu'il était devenu, plutôt que d'avoir le courage de divorcer.

J'étais hargneuse envers Jules, car, même après l'avoir entendu raconter à Émile sa détention par les Allemands, je ne parvenais pas à excuser son attitude. Sa nature molle et sa façon de se vautrer dans sa souffrance me soulevaient le cœur.

---

1. La kémia se sert au moment de l'apéritif. Il s'agit d'un assortiment de mises en bouche, une coutume répandue en Algérie, au Maroc et en Tunisie avant l'Indépendance.

Mon père arriva après une journée passée à courir après quelques travaux. Il portait ses vêtements de tous les jours et sa casquette à carreaux beiges, usée comme lui par les vicissitudes d'une dure existence et par le dernier coup du destin. Il avait perdu sa raison de vivre, sa femme, son amie. Je n'avais jamais soupçonné l'intensité de leur relation. Je ne connaissais vraiment rien aux choses de la vie ! Pour moi, ils étaient juste une paire aussi indissociable qu'un tréma. Manifestement, ils étaient bien plus que cela. Je n'avais pas compris cet amour qui les avait conduits de l'enfance à la mort, seul véritable cadeau que la vie leur ait fait.

Cette évidence me frappa de plein fouet lorsque mon père se laissa tomber sur son fauteuil autour de la table. De sa poitrine émana un soupir, à moins que ce ne soit le coussin de canevas ; ses os craquèrent, à moins que ce ne soient les pieds de bois.

Le silence envahit la pièce, lourd d'explications inutiles, car le téléphone arabe prouvait encore une fois qu'il fonctionnait à merveille. Il n'y eut qu'un bref échange, juste quelques mots.

— Il faut la marier… vite ! laissa tomber mon père en direction de son fils aîné. Occupe-t'en.

Émile hocha la tête. Cela en était fait des rêves de théâtre et de gloire de Ninon. Sa sentence était prononcée et elle était sans appel. Je savais que mon oncle Mardoché, même présent, n'aurait rien changé.

— Rentrez maintenant chez vous, mes fils, vous avez une famille vous aussi, ajouta-t-il en prenant une tranche de pain à la mie épaisse et en la trempant dans l'harissa préparée maison à l'aide de piments rouges séchés, de coriandre et de carvi moulus, d'ail et de sel, le tout délayé dans de l'huile d'olive.

La sauce goutta et salit la nappe blanche de Mamina. Mon père ne sembla pas s'en apercevoir. Je comptai les perles rouges qui s'écoulaient en cadence pendant que Ninon, exsangue, se tapait le front de la paume de sa main, assise sur un coin de son matelas, sur le bout des fesses, déjà sur le départ, déjà plus entièrement chez elle.

Personne n'osa ouvrir la bouche. Le cliquetis des assiettes et des verres offrit la seule distraction de la soirée.

Pauvre Ninon, elle m'avait encore volé la vedette! Je partis me coucher, ma nouvelle cachée dans mon soutien-gorge, bien au chaud, au creux de mes seins, plus déterminée que jamais à échapper à une réalité qui finirait sinon par me rattraper.

Soudain, je pris conscience que je n'avais pas demandé à mademoiselle Cousergue combien je gagnerais, ni quel poste j'occuperais. Bercée par les larmes de ma sœur, au cœur de la nuit chaude et humide, je m'endormis dans ma ville où les portes montraient aussi la sortie.

5

Il était six heures tapantes quand je longeai le couloir, rasant les murs, et me présentai à la porte du bureau, encore fermée, d'Agnès Cousergue. La bouchée de gâteau qu'Esther m'avait forcée à avaler jouait au yoyo dans mon estomac noué.

En attendant son arrivée, j'observai les employés qui se pressaient dans ce couloir dont je ne connaissais pas la fin. Beaucoup de nouveaux, un peu comme moi, cherchaient à se donner une contenance, d'autres au contraire avançaient à pas déterminés, montrant leur assurance.

Plus les minutes passaient, plus l'espace s'emplissait d'hommes et de femmes, d'officiers et de civils. Un bouquet de nationalités conversaient la plupart du temps en anglais, mais également dans leur langue maternelle, que ce soit le français ou l'arabe.

Les Américains se distinguaient de la masse. D'abord, ils dépassaient tout le monde d'une tête, mais surtout leur maintien attirait l'attention. Ils parlaient haut, se tenaient les mains dans les poches, décontractés et un brin arrogants. Certains mâchaient du chewing-gum. Les femmes arboraient un rouge à lèvres criard qui rendait leurs dents très blanches par contraste. Leurs paupières étaient maquillées d'un trait noir. Elles paraissaient sûres d'elles, conquérantes.

Moi, je n'avais l'air de rien et ce, même si je portais un adorable ensemble de broderie anglaise blanche que Germaine avait cousue en un dimanche ! D'une main, je tripotais mes cheveux en ce geste machinal qui m'accompagnait depuis l'enfance et dont je n'arrivais pas à me défaire. De l'autre, je tenais serré contre ma poitrine le sac en papier contenant mon déjeuner que je n'avais pas pu refuser à Esther. J'aurais parié qu'il sentait fort et qu'il était plein d'huile. Je devais m'en débarrasser au plus vite. Je repérai une porte donnant sur la cour arrière et j'ouvris brusquement le battant, dans ma hâte de trouver une poubelle. La poignée frappa les reins d'un des officiers qui fumaient à l'extérieur. Les conversations s'interrompirent devant mon embarras.

— Oh! Pardon, bredouillai-je et, visant le contenant, je jetai mon paquet.

— Ce n'est rien, me répondit l'un d'eux, très grand, dans un français impeccable.

Je me dépêchai de rejoindre mon poste d'observation.

Agnès arriva enfin. Elle était vêtue d'orange de la tête au pied. Parfait, songeai-je, comme ça je ne pourrai pas la perdre dans la cohue. Elle lut dans mes pensées et commenta en riant.

— Vous voyez, je serai votre balise. En revanche, interdiction de penser que mon derrière ressemble à un porte-avions.

Elle s'esclaffa de plus belle, puis ajouta : «Allez me chercher un café, puis venez dans mon bureau, il faut qu'on parle.»

Je tournai les talons et partis à la recherche de la cafetière. Mon regard balaya l'endroit pour localiser ce qui devait être une plaque de cuisson quelconque où une bouilloire devait chuinter. A contrario, mon attention fut attirée par un regroupement autour d'un cylindre chromé comme les pare-chocs d'une Cadillac, au-dessus duquel des lettres clinquantes épelaient le nom de Gaggia. Sur le devant, toujours en or, mais sur fond ivoire : *crema caffe naturale*, en italien.

— Elle est belle, hein!

Je pivotai et découvris à ma gauche une jeune fille, petite et menue. Du haut de son mètre cinquante et des poussières, elle leva vers moi un regard pers, tacheté d'éclats dorés. Ses boucles naturellement auburn collaient sur sa nuque, à cause de l'humidité. Elle était vêtue de couleurs pâles et ressemblait à une dragée, pastel et pure.

— Je suis italienne, ajouta-t-elle comme pour s'excuser, je sais que cela n'est pas évident par les temps qui courent, mais mon père est un antifasciste...

Je hochai la tête, un peu surprise. Mon expérience récente avec cette communauté me faisait tenir mes distances. Aussi, je m'adressai à elle avec courtoisie, mais en français.

— Bonjour, je m'appelle Sarah Ouzari, vous savez comment on peut avoir du café avec ce machin. C'est mon premier jour et je dois en apporter une tasse à ma chef!

Elle sourit avec douceur et franchise.

— Et moi, je suis Madeleine Caldine. Tout le monde m'appelle Mady.

Nous nous serrâmes la main et je me gardai bien de lui dire que j'avais horreur de cette manie qu'ont les gens de donner des surnoms. Ma propre famille n'échappait pas à la règle. Je trouvais cela ridicule. Elle prit sur le plateau, posé sur le comptoir, une tasse et entreprit de la remplir tout en m'expliquant.

— Achille Gaggia est un Milanais. Il a acheté le brevet de machines expresso à Rosetta Scorza, la veuve d'un technicien torréfacteur, pour mille livres. Cependant, le café était amer, alors il a amélioré le processus il y a quelques années grâce à un piston rotatif à vis qui produit une pression d'extraction sur la mouture.

Elle s'interrompit devant mon expression ahurie et s'expliqua :

— Mon père est ingénieur, donc il lit tout ce qui concerne les inventions… Il rêve de visiter la foire de… Je vous ai perdue là. Je suis désolée, je parle, je parle à tort et à travers. Je vais vous laisser aller travailler.

De sa main libre, elle balaya l'air avec de petits moulinets charmants. Puis, elle me tendit ma tasse et tourna les talons. Mon café brûlant en équilibre au bout de mes doigts, je me concentrai pour ne pas le renverser, ni sur moi, ni sur personne d'autre. Miraculeusement, j'arrivai à bon port et me postai devant Agnès, qui finissait une conversation au téléphone. Enfin, elle raccrocha, avala une gorgée du liquide noir et me décocha une grimace.

— Berk, sans lait, ni sucre ? Cela va me réveiller, c'est sûr !

Cela ne pouvait pas plus mal se passer. J'étais désespérée par ma propre bêtise. J'étais incapable d'exécuter la moindre tâche correctement et je ne survivrais pas à la journée. Agnès dut saisir l'expression sur mon visage, car elle changea de ton.

— Sarah ! Il n'y a pas de quoi prendre cet air affligé. Où avez-vous caché votre sens de la répartie ? Je ne vous avais rien précisé, vous ne pouviez pas deviner.

— Justement, j'aurai dû vous le demander avant, répondis-je logiquement.

— Très bien ! Voilà où je veux en venir ce matin. Vous ne pouvez rien obtenir si vous ne le demandez pas. Vous vous êtes envolée la dernière fois sans même m'interroger sur ce que j'attendais de vous, votre salaire, vos horaires… rien… Vous agissez comme si je vous faisais une faveur en vous engageant, alors que vous m'apportez votre aide. Dans la vie, on doit savoir demander, savoir recevoir et savoir dire merci. Voici l'équilibre nécessaire à toute volonté propre. Qu'un élément manque et c'est le fiasco !

Je demeurai muette pendant quelques instants, plongée dans les méandres de ces révélations, puis, lentement j'en émergeai et lançai à Agnès qui me regardait avec une grande gentillesse.

— Bon, alors, en quoi consiste mon travail ?

— Tout d'abord, on se tutoie. Le vous n'existe pas en anglais, pourquoi nous embêter alors que nous allons nous voir tous les jours. En revanche, pour les officiers... Tu sais, ils sont très conservateurs et raffolent du protocole, donc ils auront droit à leur vouvoiement, tant pis pour eux. Quant à l'intendant général, notre patron à toutes les deux... Travaille ta révérence... Il est friand d'honneurs de toutes sortes !

Agnès alluma une cigarette, puis reprit là où elle s'était arrêtée.

— Maintenant, voilà ce à quoi j'ai pensé. Étant donné que la frappe n'est pas encore ton fort, je vais te demander de la polyvalence au sein de mon service qui s'occupe d'une partie de l'intendance. Nous sommes chargés de gérer, d'organiser tout ce qui entre et tout ce qui sort en denrées alimentaires et en matériel, hormis l'armement. Puis, nous répartissons le avitaillement là où les besoins se font sentir, d'où la notion de confidentialité primordiale. Il se peut que quelque chose se prépare. Des vies sont en jeu. Tout transite par nous : l'habillement, la nourriture, mais aussi les cantinières, le transport des lits militaires... Nous chapeautons également le mess des officiers, les événements spéciaux, les visites des gradés. Des millions de francs, de dollars, de livres passent par nos services. L'intendance doit suivre[1] et en plus rendre des comptes. C'est un travail colossal. Notre équipe est dynamique, mais complètement dépassée par l'ampleur de la tâche. Tu ne devrais pas t'ennuyer. En fait, je voudrais que tu divises ta journée en tiers. Premièrement, trier et ranger les dossiers. Je sais que cela ne semble pas folichon, mais c'est capital puisque nous venons de nous installer : il y a des tonnes de boîtes avec des papiers très importants pour la bonne marche du service. Tu joindras l'équipe qui s'en charge le matin. Ensuite, nous disposons de quatre heures pour le déjeuner. Je pense que deux devraient suffire et que, pendant les deux autres heures, tu pourrais suivre les cours d'anglais que je t'avais promis. L'après-midi, je voudrais que tu fasses un tour aux entrepôts, apprendre à tenir les livres de stocks. Des questions ?

— Non, en fait c'est mieux que ce que je m'imaginais ! Ça a l'air très intéressant, répondis-je avec honnêteté.

— Oui ! En effet. Dès que tu parleras l'anglais, je te donnerai d'autres tâches. À propos, tu vas gagner... — elle se leva et se mit à fouiller dans une armoire à côté de son bureau et en retira une feuille de tarification — ... huit cent soixante-quinze francs[2] par mois. Tu vois que la paye est excellente, en France c'est le salaire d'une institutrice débutante. En plus, le franc vaut plus ici qu'à Paris ! Le coût de la vie est tellement moindre

1. Allusion à la célèbre citation de Charles de Gaulle. À un officier qui lui demandait : « Mais l'intendance, mon général ? », le général répondit : « L'intendance suivra ! »
2. Le franc tunisien égalait le franc français et valait à l'époque moins de 10 centimes d'euro. Le dinar tunisien sera en vigueur à partir de 1958.

en Tunisie. Je ne sais pas si tu te rends compte, mais quand je suis partie, le kilo de pain coûtait plus de trois francs! Une vraie fortune.

Comme je faisais les courses, je connaissais les prix en vigueur et je ne voulais pas la contredire. Toutefois, nous sortions d'une période de rationnement où nous n'avions eu droit qu'à cent grammes par personne par jour, et autant pour la viande, une misère! Le marché noir avait donc fleuri et la miche d'un kilo s'était vendue jusqu'à quarante francs. Esther attendait ma paye. Je l'avais entendue discuter avec Émile. Nous n'étions plus que quatre. Il fallait quarante-cinq francs par jour pour pourvoir aux besoins de la maison, moins si elle faisait attention. Nous avions convenu avec Émile que je garderais quelques francs sur moi, de façon à ne pas me trouver démunie. Évidemment, la consigne était de ne rien dépenser.

Trois coups discrets retentirent à la porte du bureau.

— Entrez, fit Agnès. Oh, superbe! Ma petite Mady, tu arrives à temps! Je te présente Sarah, elle travaille pour le service maintenant et je pense honnêtement qu'elle va faire un malheur. Je sais reconnaître les personnes exceptionnelles quand j'en rencontre une!

J'étais pivoine, à cause du compliment et parce que j'avais fait connaissance avec ma collègue d'une façon si peu formelle. Mady était désarmante de douceur et formait avec Agnès les deux perspectives à toute chose. Non pas qu'Agnès ait quoi que ce soit en moins ou bien Mady en plus; en fait elles s'emboîtaient parfaitement, comme lorsque les blancs d'oeufs battus en neige épousent le chocolat et s'unissent en une mousse homogène et délicieuse.

— Nous nous sommes rencontrées autour de la machine à café et je suis tout à fait d'accord avec toi ! renchérit la jeune Italienne. Nous nous sommes déjà présentées. Disons, juste pour compléter le portrait, que je suis la collaboratrice d'Agnès.

— Ma collaboratrice ! Mon bras droit, ma jambe gauche, ma santé mentale tout entière, enfin s'il m'en reste une… En un mot, mon indispensable !

Elle explosa avec une sincérité nullement feinte. Bientôt, la femme de tête reprit le dessus et elle organisa la matinée de travail.

— Mady, conduit Sarah aux archives, s'il te plaît. De plus, tu la piloteras aujourd'hui. Ensuite, reviens vite. Nous avons une réunion à onze heures.

Sans attendre, Agnès plongea dans la pile de papiers qui s'étalaient sur son bureau et nous partîmes. Je ne savais pas trop quoi dire. Nous débouchâmes sur un étage où tous les bureaux étaient séparés par de minces cloisons amovibles.

— Voici le Centre des commandes, m'expliqua mon guide. Nous devons pouvoir nous voir et nous entendre. La coopération et l'esprit d'équipe sont des vertus indispensables pour travailler dans l'armée, surtout en temps de guerre.

Puis, elle me conduisit dans une pièce petite et étouffante où des cartons, empilés les uns sur les autres, s'offraient à moi. Alors que j'allais paniquer, une chevelure frisée, sortie telle celle d'un clown de sa boîte, me fit un petit coucou avec une main, jaillie elle aussi de je ne sais où.

— Tu vois que je te laisse en bonne compagnie. Aline va tout t'expliquer. Je viendrai te chercher pour déjeuner. Amuse-toi bien.

La matinée passa bien plus vite que je l'aurais cru et le travail exigeait organisation et concentration. Derrière les boîtes, de grands classeurs avec nombre de filières répertoriaient tous les secteurs du service, depuis le personnel jusqu'aux bons de commande et de livraison.

À midi, Mady vint me chercher comme promis. Elle me conduisit vers la cafétéria. Mentalement, je bénis la pulsion qui m'avait fait jeter le casse-croûte d'Esther et le fait qu'il s'agisse d'une cantine d'entreprise, et pas d'un restaurant. En effet, il existait une sorte de rivalité entre les villes tunisiennes. Certaines étaient plus cela, d'autres moins, enfin bref, Tunis était connu pour ses femmes qui s'attablaient seules dans les cafés et qui fumaient. Mon oncle Mardoché nous avait maintes fois exprimé son mécontentement devant les Juives qui copiaient les Italiennes et les Françaises. Je n'allais pas, dès le premier jour de mon nouvel emploi, risquer d'être aperçue! L'ambiance de l'endroit était bruyante, enjouée et amicale.

— Nous sommes au mess, la cantine des officiers, mais tout le personnel y a accès. En plus, c'est très bon, et pas cher, me confia Mady.

Elle dut me sentir tressaillir du fait que je n'avais pas encore d'argent sur moi, car elle s'empressa d'ajouter :

— La première fois, c'est l'hôtesse qui régale, c'est une tradition et contre les traditions, impossible de lutter! Tu vas voir, les hamburgers sont extra!

Nous fîmes la queue et prîmes des plateaux sur lesquels nous déposâmes des assiettes chargées de viande entre deux tranches de pain. Je n'avais jamais mangé ailleurs que dans ma famille. Tout au plus, j'avais acheté à une ou deux occasions à l'école, grâce à la générosité de tonton Mardoché, un sandwich chez Raoul, l'auxiliaire de service. Pendant les récréations, il tenait un comptoir où s'étalaient confiseries, boissons et casse-croûtes tunisiens plus ou moins bien garnis et, pour les pauvres comme moi, des navettes imbibées d'une harissa claire comme de l'eau rougie, qui coûtaient moins cher.

— Il faut que tu goûtes à la glace. Elle est géniale, fit Agnès, qui s'assoyait enfin à nos côtés.

Notre table se situait tout au bout de la salle qui décrivait une sorte de croissant autour du bar. De nombreuses personnes venaient saluer mes deux voisines et, chaque fois, elles se présentaient par leurs noms que je m'empressai d'oublier aussitôt.

Nous restâmes attablées bien plus longtemps que je ne l'aurais voulu. Je craignais d'être en retard à mon premier cours d'anglais. Je n'avais jamais appris une langue, elle s'imposait à moi selon les circonstances, sans le désirer vraiment ou y réfléchir, par instinct plus qu'autre chose.

Mes deux collègues m'accompagnèrent à la porte de la classe et m'encouragèrent, tout en s'éloignant pour aller prendre un café.

Un professeur grand et maigre m'attendait et me désigna avec empressement ma chaise et mon petit pupitre.

— *Take a chair and sit down on the floor! That's so funny isn't it*[1]*?* me dit-il en gloussant.

Je ne compris pas un mot, mais me réjouis que les cours soient humoristiques!

---

1. *Prenez une chaise et assoyez-vous par terre! C'est drôle, n'est-ce pas?*

74

Il commença à l'heure pile alors que cinq autres élèves s'installaient dans la classe.

— Bonjour… Je vous présente la méthode Assimil qui depuis dix ans forme des bilingues dans tous les domaines, depuis l'armée jusque dans les bureaux d'affaires… *My tailor is rich* [1] …

Les deux heures passèrent si vite que je fus surprise de voir qu'il était temps de me rendre vers ma troisième activité de la journée. Là encore, Mady me guida et me conduisit au dépôt, où mes connaissances en mathématiques furent mises à l'épreuve.

À dix-huit heures, j'étais épuisée.

Je rentrai chez moi et me couchai sans manger, sous les quolibets de Jules qui, de la table où Esther lui avait servi un plat pris sur nos minces réserves, me demandait ce que cela faisait d'être fatiguée par un vrai travail au lieu de me la couler douce à l'école.

La seule chose à laquelle je songeai, en posant ma tête lourde sur mon oreiller moelleux et frais, se révéla la nécessité absolue de goûter à la glace le lendemain pour le déjeuner.

---

1. *Mon tailleur est riche.*

6

— Des Miss ? Non, dis-moi que tu plaisantes, je t'en prie.

Trois semaines s'étaient écoulées depuis mon arrivée et je commençais à me sentir vraiment à l'aise dans mes fonctions. Le travail du matin avançait à pas de géant, mes cours de midi portaient leurs fruits, d'autant plus qu'Agnès avait exigé que tous mes collègues conversent avec moi dans la langue de Shakespeare. De l'emploi de l'après-midi, je n'imaginais pas la fin, mais je m'y habituais. Donc, au moment où je commençais à trouver mes marques, Agnès nous convoquait pour nous annoncer qu'un concours « Miss Alliée » était ouvert pour remonter le moral de l'effectif en poste !

Pas du tout. Je ne comprends pas ce qu'il y a. Les femmes adoreront, les hommes saliveront, bref tout le monde ne pensera qu'à cela. Vois-tu, c'est ce que me demande le quartier général : un esprit positif à tout prix !

Le ton cinglait, sans appel : Miss Alliée il y aurait.

Nous disposions de peu de temps pour réaliser ce petit exploit. Agnès décida que je m'occuperais de l'inscription des candidates. Elle avait tout prévu sauf que nous manquerions de volontaires et, par une matinée déjà très chaude de juillet, elle m'annonça que je participerais au défilé.

— Tu ne peux pas me demander ça, suppliai-je au bord de l'apoplexie.

— Sarah, arrête de prendre tout au tragique, Mady aussi fera partie du cortège. Moi, je t'imagine très bien. Si ça se trouve, tu vas gagner !

Je lui répondis en lui lançant un regard haineux qu'elle ignora.

— Y'a pas intérêt! Tu vois dans la rue quelqu'un dire à mon père : « Mabrouk [1], monsieur Ouzari, pour la victoire de votre fille, encore techniquement en deuil, comme Miss Alliée 1943! Bravo! Vos enfants sont des artistes, l'une chante au balcon, l'autre monte sur les planches. Vraiment, félicitations!»

Agnès me regarda avec un grand sérieux.

— Il s'agit de ton emploi. Ta famille veut que tu travailles. Alors, il n'y a pas deux poids, deux mesures. Je te demande du professionnalisme et d'aider le service comme tout le monde s'y attelle d'ailleurs. Bon, on récapitule. Cela se passera dans la salle de réception de l'hôtel La Tour blanche à Gammarth.

La ville de Gammarth était située à une vingtaine de kilomètres de Tunis, directement sur la mer. Agnès avait vivement défendu son choix devant les officiels. Elle pensait pouvoir faire d'une pierre deux coups en distrayant le personnel militaire et en fournissant une source de revenus inespérée à une population locale qui avait beaucoup souffert. La plage était truffée de bunkers allemands utilisés par la Wehrmacht. Les combats et les bombardements s'étaient révélés intenses. Bon nombre de soldats français avaient perdu la vie et laissé cette région meurtrie. Il était temps de tourner la page et de ramener un peu de joie.

Quant à moi, je connaissais assez l'endroit pour l'avoir visité à maintes reprises avec ma famille. Une nécropole, attestant une présence juive dès le IIe siècle, avait été découverte grâce à des fouilles archéologiques. Nous étions bien chez nous.

---

1. «Félicitations» en arabe.

— Mady, il faut s'assurer que le traiteur a correctement noté toute la commande et qu'il ne doit pas cuisiner trop épicé. Vérifie tous les plats. Impossible de prononcer les noms. Je veux du local, du folklore, mais cela doit être mangeable.

— Je peux m'en occuper, hasardai-je d'une voix timide.

— Tu t'y connais en cuisine ? me répondit Agnès du tac au tac.

— Pas vraiment, mais en arabe, oui. Tu oublies que c'est ma langue maternelle.

Elle réfléchit quelques secondes. Cela représentait une lourde responsabilité pour une débutante comme moi.

— D'accord. Tu as le feu vert. Tu sais à quel point c'est important.

Franchement, cela ne m'impressionnait pas autant que de concourir pour un titre de pacotille. J'essayais encore de négocier avec Agnès, mais celle-ci demeura inflexible.

— Maintenant, les tenues des participantes... On ne donne pas dans le maillot de bain, quand même !

J'en aurais pleuré de joie et mon soupir de soulagement s'exprima si bruyamment que Mady pouffa de rire derrière sa main.

— Je vais prétendre que je n'ai rien entendu, gronda Agnès en nous regardant toutes les deux. Il faut des robes du soir glamour. Je peux fournir le tissu, il ne manque que des couturières.

— Hum, fis-je en levant mon doigt comme en classe. Ma sœur fréquente une école de couture. Si on entre en contact avec la directrice, madame Chemla, je suis persuadée qu'elle sera folle de joie.

— Excellente idée… Allez, mesdemoiselles, on fonce, tout doit être prêt.

Agnès possédait le chic pour passer de l'amie à la chef en un clin d'œil. La situation n'était jamais ambiguë. Je savais toujours exactement à qui j'avais affaire. Force était de constater qu'elle avait pris une importance primordiale dans ma vie en très peu de temps. Elle me chaperonnait dans tous les aspects de mon existence.

Dès les premiers jours, elle avait commencé à me donner des boîtes de corned-beef, des paquets de sucre et de farine que je rapportais à la maison. Esther ne se trouvait vraiment pas dans la situation de faire la fine bouche. Tout était bienvenu. Mon père travaillait très peu. Il demeurait des heures sur le balcon de sa chambre qui surplombait la Hara, le cœur juif de Tunis. Il fixait d'un regard absent les jardins et les patios toujours agrémentés d'une fontaine, ou tout au moins d'une vasque, et dont les murs s'ornaient parfois d'une mosaïque de faïence qui se laissait deviner, même à cette distance. Il disait s'imprégner en particulier des terrasses, véritables scènes de théâtres de la vie sociale des habitants, quand on l'interrogeait.

J'étais inquiète. Un soir, je fis venir Rina. Elle savait se montrer enjouée, voire enjôleuse, cependant elle n'arriva pas à dérider mon père. Nous nous réfugiâmes donc dans ma chambre, souvenir de notre complicité enfantine. Assise sur mon lit, je lui parlais de mon travail et mes nouvelles amies que je voulais lui présenter.

— Tu as raison, Sarah, de cultiver des relations dans les autres communautés, me souffla-t-elle.

— Rina, voyons, tu ne vas pas être jalouse! Je te raconte cela pour te faire partager ce que j'éprouve, non pas pour t'en exclure. Toi et moi, pour toujours!

Elle prit un ton sérieux que je ne lui connaissais pas.

— Non, Sarah, ce temps-là est révolu. Il s'est passé des choses dans ma vie dont tu n'as aucune idée. De plus, je suis consciente de problèmes dont tu ne te doutes absolument pas.

J'étais si troublée que je n'arrivais pas à trouver d'arguments en retour. La maladie de Mamina avait été un véritable cauchemar qui m'avait coupée de toute réalité ainsi que de mes amies les plus proches. La guerre s'était greffée en sus, avec ses rafles, le souci de payer l'amende… Oui, j'avais délaissé Rina depuis plusieurs mois et je ne m'en étais même pas aperçue.

— Je suis là maintenant. Confie-toi, tu sais que tu peux tout me dire.

Elle essuyait de grosses larmes sur ses joues. Je remarquai alors qu'elle s'était maquillée. Je nourrissais le sentiment de ne pas l'avoir vraiment regardée depuis une éternité. Je la redécouvrais et elle avait changé. Elle était indéniablement devenue une jeune femme. Elle portait ses cheveux relevés en chignon, ce qui rehaussait son petit menton pointu et ses lèvres généreuses, soigneusement dessinées au crayon beige.

— Dis-moi ce qui se passe, insistai-je.

— Écoute, il faut que tu te mettes dans la tête qu'un jour vous devrez partir. J'ai mal en te disant cela et pourtant, quelle sorte de sœur je serais si je ne te prévenais pas.

Elle fit une pause, puis reprit : «Tu te souviens quand je t'ai parlé de Bourguiba?»

Je hochai la tête, hésitant entre l'envie de lui hurler qu'elle perdait l'esprit et celle de la laisser finir jusqu'au bout son délire.

— Et bien, il y a des gens qui conspirent dans le secret le plus complet pour l'indépendance du pays et il les dirige. Ils agissent, ramassent de l'argent, recrutent…

— Tu dis n'importe quoi, ma belle. Bourguiba vient juste d'être libéré par le général Juin et les Forces françaises libres. D'ailleurs, Vichy l'avait emprisonné parce qu'il avait transmis à la population un message de soutien inconditionnel aux gaullistes.

— Je te raconte ce que je sais de source sûre. Il cherche l'appui des Arabes d'ici, bientôt il ira ailleurs, chez nos voisins, en Syrie et au Liban, et quand il sera très fort, il renverra les Français et les Italiens chez eux et vous, vous partirez avec l'eau du bain ! Tu ne peux pas faire confiance à un Arabe, ajouta-t-elle douloureusement.

Outrée, je l'enlaçai en murmurant.

— Voyons, ma chérie, moi, je te confierais ma vie !

Le lendemain, de retour au travail, les préparatifs battaient leur plein. J'évoluai avec aisance au milieu de tous les intervenants, je maîtrisai parfaitement la situation. Et ce fut justement au moment précis où je me disais que tout se passait pour le mieux que deux événements distincts vinrent titiller ma curiosité.

Tout d'abord, dans l'après-midi, je croisai Agnès dans les couloirs, débordée, comme toujours, et courant d'un rendez-vous à un autre.

— Sarah, s'il te plaît, j'ai envoyé Mady faire des courses et j'ai oublié un dossier dont j'ai absolument besoin, peux-tu aller le chercher dans mon bureau ?

Elle m'indiqua avec précision où le trouver et je me précipitai pour lui rendre service.

Dès que je poussai la porte de cet endroit que je connaissais pourtant si bien, je fus saisie par une drôle d'impression : tout d'abord, l'odeur de menthe omniprésente et ensuite l'absence de son indissociable partenaire. Je me hâtai comme coupable de pénétrer un sanctuaire, de dépasser les limites permises. Toute à mon inconfort, je manipulai maladroitement la pile qu'elle m'avait indiquée. Celle-ci bascula sur le plancher. Alors que je me penchai pour ramasser les papiers, je remarquai une photo au milieu de ce fatras. Je ne pus m'empêcher de la prendre entre mes doigts tremblants. Agnès rayonnait au bras d'un beau jeune homme, au pied de la tour Eiffel. Jamais je ne l'avais vue si heureuse. Au dos du cliché, une date et un nom : 17 juillet 1941, Xavier. Fébrilement, je remis tout en place et quittai le bureau sur la pointe des pieds.

Mon esprit tournait à cent à l'heure. Ce garçon ne ressemblait pas à son frère. De plus, ils semblaient trop intimes. Son mari ? Elle ne portait pas d'alliance. Son fiancé ? Aucune bague. D'ailleurs, elle n'évoquait jamais personne, ni même ses parents. À l'entendre, elle était seule au monde.

Ensuite, quand ma sœur, Germaine, débatla en plein bureau, armée de ses ciseaux, ses aiguilles, ses fils et ses coupons de tissus, je fis immédiatement le lien entre ces deux événements pourtant si distincts, mais qui me montraient que les mailles qui tissaient notre relation professionnelle se resserraient.

Lorsque j'avais suggéré à Agnès de recourir au service de l'école de la Glacière, jamais je n'avais imaginé que ceci impliquerait le déplacement des petites mains sur mon lieu de travail. Nous vîmes bientôt arriver quinze élèves excitées à l'idée de rencontrer de séduisants soldats, et une directrice totalement dépassée par l'ampleur de la demande.

Germaine obtint un succès fou, ce qui rendait folles de jalousie ses camarades. Elles se battaient pour remporter les plus beaux coupons et les filles les plus faciles à habiller ; cependant, immanquablement, le modèle de ma sœur sortait du lot. Le dernier essayage frisa le délire. Les mannequins d'un jour se poussaient, s'apostrophaient, s'arrachaient les accessoires sous les regards amusés de quelques gradés qui regardaient depuis le mess. Heureusement, ma tenue pendait à un cintre, sagement à la maison, et elle était évidemment signée G, le seul signe distinctif que permettait l'école.

— Les filles, confia Agnès à Mady, Germaine et moi, plus jamais ! Je suis épuisée. Je comprends enfin comment on déclenche une guerre. Venez toutes les trois à la cantine, je vous offre ce que vous voulez.

Nous nous attablâmes. L'endroit comptait encore suffisamment de clients pour que nos sièges frôlent un groupe d'Américains, très élégants dans leurs uniformes.

Agnès effectua un rapide tour de table.

— Je prendrais une bière, et vous ? Pour toi, dit-elle en s'adressant à moi, il est inutile de te demander : une glace. Puis, se tournant vers ma sœur : «Tu vois cette petite chose-là, si menue et fragile, je ne sais pas combien elle en avale par jour ! Je vais devoir procéder à une commande, spécialement pour elle. »

Agnès parlait haut et riait fort, évacuant le stress de cette semaine de dingue. J'étais très gênée. Je remarquai que les officiers, derrière nous, nous écoutaient. J'acquiesçai à la hâte afin de la faire se calmer. Mon stratagème fonctionna, puisque la conversation roula sur Germaine. Mady paraissait sous le charme.

— Est-ce que tu réalises le talent que tu possèdes? Nous sommes abonnées mes cousines et moi à toutes sortes de magazines et tes modèles sont mille fois plus couture. On dirait du Elsa Schiaparelli. À propos, tu crois que tu pourrais créer quelque chose pour une petite fille. J'aimerais tellement quelque chose de spécial pour ma poupée.

En travaillant avec elle, j'avais appris que Mady, l'aînée d'une famille aisée avec un père non seulement passionné du concours Lépine, mais également farouchement opposé à Mussolini et à ses milices volontaires, avait une adorable sœur de cinq ans, Chiara, d'une beauté tout à fait extraordinaire. Elle l'adorait et passait son temps et son salaire à lui acheter les robes les plus froufroutantes que l'on pouvait trouver. Concernant Chiara, le plus semblait le mieux. La petite portait parfois tant de volants sur sa culotte que je me demandais bien comment elle pouvait marcher!

— Elsa Schiaparelli, je ne connais pas, répondit timidement la couturière en herbe. Pour ta sœur, quand tu veux…

— Voilà la preuve! ajouta mon amie en battant des mains. Tu respires le génie! Je dois le dire à ma mère, bientôt tout Tunis campera à tes pieds.

Il était dur d'imaginer quoi que ce soit se prosternant devant Germaine, parce qu'elle était vraiment très petite, mais je n'étais nullement surprise par son succès.

— Bon, à demain soir, tout le monde sur son trente-et-un.

Agnès nous gratifia d'un «roule ma poule!», et nous rentrâmes, Germaine et moi, titubantes sous les victuailles et les cadeaux qu'elle nous avait forcées à accepter.

Il était convenu qu'un chauffeur de l'armée viendrait nous prendre vers dix-sept heures. Depuis deux heures, je luttais avec Yolande, qui avait entrepris de me vieillir de cinq ans.

— Tu as l'air d'un bébé. Tu as des responsabilités maintenant, répétait-elle depuis une heure déjà. Il faut souffrir pour être belle, ajouta-t-elle en m'épilant.

Elle avait fait cuire à feu doux un petit verre d'eau et un peu de sucre, jusqu'à ce que le mélange épaississe. Puis, elle avait rajouté le jus d'un demi-citron et à la toute fin, une cuillère de miel. Elle malaxait une boule dorée entre ses doigts qu'elle appliquait sur mes bras, mes jambes, mes aisselles et mes sourcils et tirait ensuite brusquement. L'amalgame laissa ma peau lisse, débarrassée de toute cellule morte et un arôme délicieux.

Pour souffrir, je souffrais, pour être belle, j'avais du mal à juger. En tous les cas, la création de Germaine était à couper le souffle. Je portais un fourreau de dentelle Chantilly grise sur une doublure de satin rose. Le décolleté était carré, la robe au genou. Aucune couture apparente. Un façonnage digne d'une fée.

Lorsque j'apparus au milieu de la salle à manger, Esther essuya une larme. Mon père murmura :

— Tu ressembles à ta mère, ma fille, aussi gracieuse… C'est un peu trop peut-être, tu es sûre que c'est pour le travail ?

— Je te le promets, en plus tu peux le demander à Germaine. Avec tout ce que ma patronne nous donne et comment elle aide la famille, je ne peux vraiment pas lui refuser.

«Un demi-mensonge est un mensonge pareil» résonnait à mes oreilles.

Le chauffeur arriva en bas et nous nous dépêchâmes de monter dans la voiture. Au coin de la rue, je crus apercevoir Jules qui gesticulait.

— Tu as vu Jules, dis-je en pinçant ma sœur.

— Je sais… Il est fou de rage. Je l'ai entendu se disputer avec Esther à propos de toi. Il pense que tu files un mauvais coton!

La soirée fut très réussie. Les plats parfaits et le défilé grandiose. Agnès réduisit mon apparition à quelques secondes, en tant que staff organisateur et non pas comme concurrente. Ce geste, cette marque de considération me touchèrent plus que tous les cadeaux dont elle m'abreuvait pourtant. Notre relation gravit un échelon supplémentaire. J'appartenais maintenant à une famille élargie sur laquelle je pouvais compter.

Le lundi suivant, l'atmosphère était détendue. J'allais pouvoir reprendre mon train-train quotidien, lorsque ma collègue des archives m'accueillit un sourire espiègle sur le visage.

— Sarah, il y a quelque chose pour toi. Quand je suis arrivée, j'ai trouvé cela sur le plan de triage avec cette carte avec ton nom dessus, tapé à la machine.

Elle me tendit le bristol anonyme et me pointa du doigt un pot de glace à la fraise.

7

Avec la régularité d'un refrain de chanson populaire, mon pot de glace m'attendait sur mon bureau, comme tous les matins, depuis près d'un mois après l'épisode des « Miss », à Gammarth.

— Encore ton admirateur anonyme! me fit remarquer Agnès, non sans pouffer de rire. On peut dire qu'il a de la suite dans les idées, celui-là!

— Agnès, arrête de faire la bête, suppliai-je, au comble de la gêne.

— Je t'en prie, ne me dis pas que tu ne te doutes pas de quelque chose?

— Agnès, on va se faire attraper par le chef à parler comme cela durant les heures de travail.

Elle haussa les épaules et fronça son nez, qu'elle avait retroussé, comme toute Parisienne qui se respecte!

— Je sais, ton chef, c'est MOI.

Puis, elle éclata de rire. Les filles des bureaux avoisinants la regardèrent d'un drôle d'air. Elle partit d'un pas énergique vers son antre de cheftaine, au bout du couloir.

La conjoncture la ravissait. Elle se délectait de mon embarras, de ma naïveté devant la situation romanesque qui transformait, chaque jour, mon arrivée au travail en feuilleton. Je me trouvais au centre de tous les ragots et le concept même m'apparaissait ridicule. Comment pouvais-je susciter un quelconque intérêt? Je devinais que mon jeune âge, mon avancement rapide et ma relation avec Agnès nourrissaient la jalousie de certains. Ma présence sur scène, dans ma splendide tenue lors de la soirée, et ces attentions journalières n'arrangeaient rien. Il n'empêchait que j'étais curieuse même si je ne l'avouais pas, par pure bravade.

Je pris le pot et le mis dans la glacière du réfrigérateur, luxe rare en dehors de ce bâtiment, à côté de la réserve de bouteilles de Coca Cola. Cette nouvelle boisson régnait ici et mes collègues, féminins ou masculins, en buvaient plusieurs par jour. Quant à moi, je demeurais sceptique. La première gorgée que j'avais avalée sous l'œil hilare d'Agnès m'était montée jusqu'au nez et j'avais eu droit à une leçon de vie de la part de mon chef qui, d'un air important, avait décrété :

— Chère Sarah, apprends qu'une première fois ne s'oublie pas ! Cette boisson gazeuse va envahir le monde ! Une amie de ma mère travaillait comme barmaid au café de l'Europe, près de la gare St-Lazare, en 1933, quand elle a débarqué en France. Et, *by the way*, cette boisson a été certifiée cachère, en 1935, par le rabbin Tobias Geffen, si je ne m'abuse. Même Roosevelt en est tombé dingue et a déclaré la compagnie Coca Cola fournisseur de guerre. Voilà pourquoi elle se retrouve dans nos frigos, ma chère !

La tirade s'était conclue par un clin d'œil coquin et un bruissement de jupe qui repart vers ses occupations. J'avais compris le message : pas le droit de critiquer le Coca Cola.

Depuis ma découverte de la photo dans le bureau d'Agnès, j'en savais un peu plus sur elle. J'avais l'impression de la connaître depuis toujours. Elle était droite, exigeante, mais juste. Surtout, elle aimait son prochain, comme elle se plaisait à le dire. Agnès était très croyante, profondément attachée à la religion catholique et je respectais tout à fait cela. Je baignais dans un milieu où croire était aussi naturel que respirer. Je ne pouvais pas m'imaginer l'existence d'athées ou même d'agnostiques. Un être humain devait appartenir à une chapelle. Laquelle? Simple problème technique sans grande importance, pour moi tout au moins.

J'avais deviné juste : elle était effectivement parisienne et ses parents possédaient la brasserie *Le bouquet des lilas*, située à la porte du même nom, au croisement de la rue de Belleville et du boulevard Sérurier. Son père avait engagé comme serveuse, puis épousé une jeune Auvergnate fraîchement débarquée de sa province, qui devint la mère Agnès. Ainsi, Agnès avait, depuis son enfance, baigné dans ce qu'on appelait les métiers de bouche. Ceci se révélait un atout indéniable dans l'époque que traversait Tunis.

Dès leur arrivée, les Américains avaient distribué des remorques entières de denrées les plus diverses : boîtes de conserve, chocolat, bonbons, chewing-gum et, bien sûr, des cigarettes. Parfois, j'avais plus l'impression de travailler pour un magasin d'alimentation que pour les Forces armées. J'avais toujours honte de cette abondance, car nous savions que la guerre faisait rage dans toute l'Europe.

Je n'avais jamais suspecté la quasi supériorité que confère le fait de parler plusieurs langues. Devoir apprendre l'anglais en un temps record m'avait fait prendre conscience de mon talent et de bien plus encore. Certes, ma vie était organisée, compartimentée suivant les lieux où je me trouvais, mais je me soupçonnais de souffrir d'un trouble latent de personnalités multiples. Ce mal prenait racine au cœur des langues dans lesquelles mes interlocuteurs et moi-même interpellions le divin et partagions les mets les plus délicieux. Bref, il attaquait mon cerveau, et mon estomac! Le mécanisme s'enclenchait le plus naturellement du monde, sans que j'y pense ni même que je fasse le moindre effort. Les mots coulaient juste de mes lèvres.

Chez moi, je parlais le judéo-arabe et nous priions Ya Rabbi[1]. Dans la rue, dans un arabe très pur, je marchandais quand je me promenais au souk et Allah m'approuvait, tandis qu'à l'école, l'instituteur nous avait inculqué, en français, que nos ancêtres étaient les Gaulois et que Clovis était le premier roi barbare chrétien. À la récréation, je mâchais la réglisse qui nous rendait la langue toute noire. Sur les terrasses ensoleillées où le linge et les tomates séchaient au soleil, j'enviais à Jésus les jolis chapelets que nos amies égrainaient en italien pour nous faire râler et les aubes qui transformaient les premières communiantes en mariées. Il y avait aussi des journées à saveur particulière : le vendredi, je buvais chez Rina l'orgeat, le sirop d'amandes, devant la mosquée Halfaouine. Le samedi, je dégustais à la maison le couscous et les boulettes du shabbat, après les prières à la grande synagogue de l'avenue de Paris. Enfin, le dimanche, je trempais des biscottis dans la citronnade, après la messe donnée à la Cathédrale Saint-Vincent de Paul, chez nos voisins de palier. Voici comment, enfant, j'avais connu un minimum de trois jours sacrés sucrés par semaine. Je me fondais ainsi, depuis ma naissance, dans la mosaïque culturelle, gastronomique et religieuse que constituait la Tunisie, et le péché de gourmandise me prenait une grande part de mon temps.

----

1. « Dieu ».

Depuis peu, ma tâche correspondait davantage à du travail de secrétariat, des commandes, des lettres, un peu de traduction et ce, même si ma frappe demeurait imparfaite. Je tapais toutes sortes d'informations concernant de la livraison de matériel sous la rubrique « Husky ». Honnêtement, je ne voyais pas comment des chiens allaient nous aider, mais, comme je l'avais promis à Agnès, je ne me mêlais de rien et me contentais de faire ce que l'on me demandait, même si je brûlais de lui dire que ces animaux de traîneaux ne supporteraient jamais le climat d'ici.

Je m'assis à mon nouveau bureau et j'ôtai la housse de ma machine à écrire en soupirant d'aise. J'aimais beaucoup cet espace et je le tenais impeccable. J'avais parlé, en arabe, aux femmes de ménage qui entretenaient les lieux et elles savaient qu'elles ne devaient pas s'approcher de mon royaume. Mon bloc, pour ma sténographie fantaisiste, se trouvait à ma droite, mes crayons bien taillés à ma gauche, et ma poubelle sous mes pieds.

Alors que je parlais maintenant l'anglais avec une aisance qui laissait Agnès incrédule, même si je m'évertuais à lui expliquer que ce n'était vraiment pas une langue compliquée, j'avais rencontré un nouveau sujet d'adoration : Glenn Miller et son orchestre. Lui, il me ravissait les oreilles tandis que les glaces au chocolat, à la vanille, à la pistache, à la fraise, avaient conquis mon cœur. La matinée fila. Il y avait beaucoup de travail, des officiers devaient nous inspecter comme tous les lundis, ce qui rendait nos jeudis difficiles. L'heure du déjeuner arriva sans que je m'en aperçoive. Je me levai et pris mon sac dans le premier tiroir. Puis, d'un pas décidé, je rejoignis Agnès. Je la trouvai pendue au téléphone et d'un geste de la main elle me fit comprendre qu'elle en avait pour quelques minutes.

Je décidai de trouver Mady et de lui proposer de manger avec nous.

— Avec plaisir. On va où ?

Derrière moi, Agnès nous rejoignit et, arrivée à ma hauteur, elle m'enlaça en prenant doucement ma taille.

— Pour ma part, où vous voulez, mais pour notre bout de chou, c'est une autre affaire.

Elle se moquait gentiment de moi et je dodelinai de la tête en faisant la moue. J'en avais marre de tous ces interdits ridicules. Je passais mon temps à regarder par-dessus mon épaule pour vérifier si quelqu'un me voyait et s'il était susceptible d'aller le raconter à mes frères.

Cela me paraissait peu probable. Émile était littéralement débordé de travail. Les commandes affluaient de partout, depuis les particuliers qui cherchaient à se débarrasser des traces des occupants, en passant par ceux qui reconstruisaient leur maison détruite par les bombardements des Alliés, jusqu'aux commandes qu'Agnès lui passait. Elle semblait insatiable. Je ne me serais jamais doutée que les besoins d'une armée étaient si colossaux ! Ils avaient pourtant apporté tant de choses avec eux. Jacob avait rouvert son atelier. Il se plaignait, disait qu'il ne tournait pas assez. Agnès lui avait fait exécuter deux ou trois travaux, seulement je savais mon frère gourmand par nature. De Jules, je n'avais guère de nouvelles. Il passait de temps en temps à la maison. Yolande, quant à elle, travaillait aussi sans relâche. Les militaires, allemands, anglais ou américains, appréciaient apparemment tous de la même façon le charme des danseuses orientales. Mon beau-frère nous avait à diverses reprises livré de la viande pour le mess. Nous ne nous retrouvions qu'une fois par semaine afin de déguster le couscous du shabbat cuisiné par Esther. Ainsi, tout le monde était si occupé que je n'imaginais pas que quiconque se préoccuperait du lieu de mon déjeuner avec mes collègues de bureau.

De plus, il faisait une chaleur terrible, il fallait sortir. L'idée me vint alors de profiter des horaires d'été pour nous évader pendant que d'autres allaient faire la sieste. Je me tournai vers mes amies.

— Vous êtes partantes pour déjeuner au *Soleil levant*?

Cette question, purement rhétorique, concernant cet excellent café, était très risquée parce qu'en fait, je n'y étais jamais allée! Je jouais à la maligne, j'éprouvais la nécessité de m'affirmer, mais j'en avais seulement entendu parler par Jacob, qui sortait et dépensait beaucoup avec je ne sais quel argent et en quelle compagnie, au grand désespoir de sa femme et d'Esther. Il s'agissait d'une grande première pour moi. Agnès avoua qu'elle n'y avait jamais mis les pieds et je craignis qu'elle soit surprise par l'exotisme de l'endroit. Quant à Mady, elle accepta en souriant, sans que je sache si elle connaissait le restaurant ou si elle voulait se donner des airs comme moi.

— On prend le tramway? C'est au bout de l'avenue de Londres, à l'angle de la rue du Voile et de celle de Bab el Khadra, dis-je avec empressement, comme une guide pour touristes.

Je connaissais cette rue pour y avoir couru pendant l'occupation. L'une des rares boulangeries restées ouvertes s'y nichait. Tout son pain s'écoulait en moins d'une heure le matin. Triste souvenir où, cependant, ma mère était encore de ce monde. Je triturai la mèche de mes cheveux, preuve de mon inconfort.

Sans tarder, notre trio se mit en route vers l'arrêt le plus proche. Nous longeâmes l'avenue de Roustan et nous récoltâmes quelques sifflets de la part des hommes qui bordaient les trottoirs et restaient adossés aux arbres, ne faisant apparemment rien de leur journée. Nous éclatâmes de rire et je relevai mon menton avec coquetterie. Nous avions fière allure et nos jupes aux couleurs acidulées nous enveloppaient comme des papiers de bonbons à l'arôme prometteur.

Puis, après une marche de quelques minutes, le repaire de la jeunesse tunisoise nous apparut dans toute sa flamboyance, son auvent blanc claquant comme la voile d'un navire. Courageusement, je me lançai à son abordage. Mes compagnes collées à moi, nous avancions à la recherche d'une table, en formation serrée. Enfin, dans cet univers intimidant, j'entendis mon nom.

— Sarah, par ici!

Au fond de la salle, presque cachée, j'aperçus Rina, l'air un peu triste. Je fonçai vers elle, flanquée de mes inséparables.

— Que fais-tu là, toute seule?

Cela m'avait échappé et il était trop tard pour récupérer ma maladresse.

— Je t'expliquerai, présente-moi plutôt tes amies, fit-elle avec un pauvre sourire qui jurait avec l'imprimé éclatant de sa jupe.

J'étais très intriguée par sa présence en ces lieux. Je fis rapidement les présentations avant de nous asseoir à sa table. L'ambiance était électrisante. Le café était rempli de jeunes et de moins jeunes qui jouaient aux cartes. Sur les tables s'amoncelaient des assiettes surchargées d'arêtes de poissons.

— C'est la spécialité ici, nous souffla-t-elle, des rougets frits avec la kémia.

La serveuse arriva et nous commandâmes des rougets, de la slata méchouia et un grand pichet de citronnade. Agnès avait décidé de me faire confiance, mais je la sentis rassurée quand elle vit ce qui se cachait derrière le nom bizarre de la salade. La slata méchouia était mon péché mignon et j'aurais pu ne vivre que de cela : des poivrons, des tomates et de l'ail, le tout grillé, coupé finement, arrosé d'un filet de jus de citron et d'huile d'olive et assaisonné d'une pincée de sel. Un délice de fraîcheur et un régal pour les papilles. Une tabouna[1] à la mie généreuse fut posée sur notre table, ainsi qu'une assiette creuse d'harissa. Nous commençâmes à manger en silence. La citronnade bien fraîche faisait couler les grosses bouchées que nous engouffrions.

La conversation et des présentations plus en règle s'engagèrent. Je craignais un peu la réaction de Rina après notre dernière rencontre. Pourtant, elle se montra charmante.

— Tu connais Sarah depuis longtemps ? s'enquit Agnès.

— Depuis toujours. Mamina, sa mère, m'a allaitée parce que la mienne est morte en me mettant au monde. Nous vivions sur le même palier.

— Je suis désolée, murmura Agnès d'une voix blanche.

— Oh ! il ne faut pas, tu sais, ce n'est pas pareil quand tu ne connais pas les gens, ils ne te manquent pas. Non, moi, c'est à cause de mon père qu'on devrait me plaindre. Il m'en fait

---

1. Pain traditionnel tunisien datant de l'ère carthaginoise.

voir de toutes les couleurs. Je crois que j'en suis à la quatrième belle-mère.

Un silence gêné s'installa et les cris des joueurs de cartes se firent plus présents. Il y avait effectivement beaucoup de tables à café peintes en noir autour desquelles se tenaient quatre joueurs qui abattaient de drôles de cartes sur un tapis vert râpé, posé au centre. Un morceau de craie servait à marquer les scores obtenus, à même le plateau. Agnès, à nouveau, demanda :

— À quoi jouent-ils ?

Mady prit la parole, fière d'être à son tour le centre d'intérêt de notre petit groupe.

— Ils jouent à la Schkouba, ou plutôt à la Scopa, car c'est un jeu italien, à l'origine. Il y a quarante cartes dans un paquet et chaque carte a sa valeur, plus la dame, le valet et le roi qui valent respectivement huit, neuf et dix points. La partie se joue en vingt et un points et par groupe de deux. Il faut non seulement ramasser le plus de cartes en les additionnant, mais aussi empêcher le groupe adversaire de faire une Schkouba, c'est-à-dire de ramasser toutes les cartes sur la table.

— *La bermilla est baji, la bermilla est baji*, se mit à hurler un honorable monsieur au fond de la salle.

— C'est quoi ça encore ? pouffa de rire Agnès.

— Ils comptent les points : vingt cartes, un point ; les carreaux, un point ; les 6 et les 7, un point ; mais si les deux équipes ont toutes les deux les 6 et les 7, alors la *bermilla est baji* ! Cela veut dire qu'il y a égalité.

— Agnès, tu as vraiment bien fait de venir, il manquait ce volet pour parfaire ton éducation, ajoutai-je en riant, ravie pour une fois de pouvoir lui damer le pion.

Plus l'heure avançait, plus les tables se vidaient des vieux qui jouaient aux cartes et se remplissaient de jeunes qui échappaient à l'heure de la sieste et à la réalité du conflit mondial qui monopolisait toutes les conversations. Cette jeunesse avait soif de frivolité. Certes, la guerre n'était pas finie, mais, ici, on aurait pu s'y tromper. La musique aussi avait changé. Aux airs orientaux avaient succédé les derniers rythmes américains. Mon chouchou résonnait à présent dans le café :

Pardon me boy,
Is That the Chattanooga Choo Choo ?
Track 29,
Boy, you can gimme a shine.

Rina blêmit tout à coup, son regard se fixant sur l'encadrement de la porte en verre de l'établissement. Un jeune homme de très grande taille, vêtu d'un complet trois-pièces à fines rayures bleues sur fond bleu marine, d'une chemise blanche et d'une cravate framboise écrasée, que je reconnus pour l'avoir vu plusieurs fois dans l'échoppe de ses parents, se dandinait littéralement, portant le poids de sa lourde carrure sur sa jambe droite, puis sur la gauche. Il semblait au supplice et vu la façon dont il fixait Rina, elle devait y être pour quelque chose. Ils restèrent là, lui se balançant, elle, plus pâle qu'une morte. Ils n'échangèrent que de brefs regards et ce manège curieux prit fin aussi brusquement qu'il avait commencé.

Nous nous tournèrent toutes vers Rina. Elle ressemblait à un boxeur qui avait subi un knock-out. Sa respiration était coupée, ses yeux exorbités et son thorax creusé, ce qui faisait ressortir l'angle pointu de ses épaules.

Trois paires d'yeux interrogateurs et pressants la fixèrent. Rina allait devoir nous expliquer ou s'enfuir. Je pense qu'elle choisit la première solution, car, avec ses jambes qui s'entrechoquaient sous la table, elle n'aurait pas pu aller bien loin.

— Vous avez vu Albert et tu le connais de vue, Sarah, n'est-ce pas?

À ces quelques mots, la voix de Rina se brisa dans sa gorge. Je lui mis son verre de limonade dans la main et nous attendîmes patiemment qu'elle le finisse jusqu'au bout. Elle sembla se recomposer et elle commença enfin à conter son histoire.

— Nous nous sommes parlé la première fois dans le treino.

Agnès n'avait que très légèrement penché sa tête, mais Rina saisit tout de suite sa perplexité et elle continua en détaillant sa narration.

— Tous les matins, nous prenons le train, Tunis/la Goulette/la Marsa, pour venir travailler et tous les soirs nous le reprenons pour rentrer chez nous, à la Goulette. Albert et moi le faisons depuis un peu plus d'un an maintenant. Je travaille, car j'ai dû gagner ma vie dès l'âge de quatorze ans, à cause de ma condition familiale pour le moins chaotique. Au début, il me gardait simplement une place. Après, les Allemands ont restreint la circulation et les wagons étaient bondés. Ensuite, les boches ont fait sauter la centrale d'électricité de la Goulette, alors, il n'y avait plus de train, mais il fallait que j'aille ouvrir le magasin pareil. Il m'emmenait en vélo.

Je mis ma main sur son bras et elle secoua sa tête doucement, comme pour me dire que ce n'était pas de ma faute. Elle poursuivit en retenant son émoi.

— Nous avons commencé à fricoter un peu, oh! Rien de bien sérieux, un petit bisou par là, une main qui s'égare par ici… un flirt quoi. Et puis, je me suis piquée au jeu, je prévoyais mes déplacements afin de le rencontrer… Ses parents possèdent une épicerie, alors je suis allée faire mes courses là-bas, pour le voir. Seulement, il a pris ses distances, est devenu froid, m'a évitée sur le quai de la gare. J'ai cru que tout était fini, même si rien n'avait vraiment commencé. Il n'empêche que je trouvais ça bizarre. Vous savez, une femme sent ces choses-là.

Elle s'arrêta encore une fois, but encore de la limonade dans le verre que je lui avais resservi. Nous la laissions raconter à son rythme, figées à son écoute.

— L'année dernière, je suis tombée malade, une grave crise d'appendicite, et j'ai dû être hospitalisée de toute urgence.

Je sursautai sur ma chaise, mais elle continua mine de rien

— Sarah, tu n'as rien su, car Mamina était très malade et de toutes les façons, tu n'aurais rien pu faire. La propriétaire du magasin où je travaillais s'est montrée abominable. Elle a refusé de m'avancer l'argent de l'hôpital, alors que je suis une employée modèle. D'ailleurs, elle m'a même renvoyée sur-le-champ! À ce moment, Albert est intervenu.

Elle esquissa une sorte de petit sourire triste qui adoucit la souffrance de ses yeux.

— Il est venu me voir dans ma chambre après l'opération. J'étais complètement groggy. Il m'a pris la main, m'a dit que je ne devais pas m'en faire, qu'il avait tout réglé. En effet, c'est ce qu'il avait fait, il avait tout payé pour moi! Sa mère m'a fait porter des soupes. Je n'ai jamais été plus heureuse de ma vie que clouée dans ce lit d'hôpital.

Elle chercha son souffle.

— On a recommencé à se voir, mais les choses sont allées loin... le plus loin où on peut aller, en fait. Ne me jugez pas trop vite, je l'aime vraiment, vous savez.

— Il n'y aura que les imbéciles et les sans-cœur pour te condamner, répliqua Mady.

Mady sortait de sa réserve et son intervention me sidérait. Je la croyais si conservatrice et gâtée... Agnès hocha la tête en signe d'acquiescement. Rina reprit.

— Bref, je pensais qu'il allait me demander de l'épouser, mais il s'est montré de plus en plus froid, alors que ses parents me traitaient comme leur fille. Néanmoins, il n'a pas rompu non plus. Nous avons continué à nous fréquenter. Quand je le pressais de s'expliquer, il me disait que je me faisais des idées, qu'il devait être promu chef comptable au bureau. J'ai cru devenir folle. J'ai consulté des voyants, des médiums qui lisent dans le sable...

Je sentis Agnès se raidir auprès de moi. Je me tournai vers elle, inquiète, elle me rassura du regard.

— Et puis, finalement, j'ai découvert le pot aux roses. Albert entretient une relation très intense avec une Française, mariée et plus âgée que lui, depuis cinq ans. Il possède une garçonnière à Tunis. Ils se voient deux fois par semaine. Ses parents n'en savent rien, vous pensez bien. Surtout son père, un homme qui prie cinq fois par jour et se rend à la mosquée tous les vendredis !

Elle s'arrêta un moment, puis reprit.

— Ce matin, j'y suis allée. Je me suis fait passer pour sa sœur qui devait faire le ménage chez lui. La concierge m'a donné la clef sans la moindre difficulté. Dans les seaux, j'avais caché des pots de peinture. J'ai tout saccagé... Tout. J'ai écrit MENTEUR sur tous les murs, déchiré les draps. Nous avions rendez-vous ici pour déjeuner. Quand il ne s'est pas montré, j'ai tout de suite compris qu'il était au courant. Vous l'avez toutes vu, maintenant. Voilà, vous savez tout.

Notre tablée ployait sous le poids de ces révélations. Il n'y avait rien à dire. Nous finîmes nos citronnades en silence, en digérant notre repas et son histoire. Chacune percevait ces confidences à sa manière. Agnès et Mady repartirent au bureau et me laissèrent seule avec Rina.

— Comme ça, dans l'intimité de ma chambre, tu ne veux rien me raconter et ici, devant deux filles que tu n'avais pas l'air d'apprécier, tu déballes tout. Excuse-moi, mais je ne te suis pas.

— Je ne te demande pas de m'approuver, Sarah, seulement de me comprendre. Aujourd'hui, je n'en pouvais plus, c'est tout.

— Si j'ai bien tout saisi, c'est de lui que tu tiens toutes tes informations sur la politique. Il a toutes les qualités à ce que je vois. Un vrai militant, franc du collier, qui couche avec une ennemie!

Je regrettai immédiatement ma tirade. Rina était désespérée. Au bord de la crise de nerfs. Je la cajolai, me fichant bien qu'on nous regarde, bâtissant avec mes bras un pont entre nos différences et nos malentendus.

— Ce n'est rien, ma belle, dis-je en la tenant dans mes bras, on en a vu d'autres, toi et moi, pas vrai!

J'essuyai ses yeux avec ma serviette et, alors que le tissu caressait son visage bouffi par le chagrin, je réalisais que tout mystère, en se résolvant, comportait son lot de conséquences, qu'il fallait s'y préparer, comme à la trahison d'ailleurs. Je comprís au moment même où je formulais cette pensée à quel point j'avais poussé sur le terreau de la méfiance, combien mon âme juive était toujours aux aguets, jamais en repos, attendant d'être chassée, accusée, dénoncée. Mon conscient et mon subconscient jouaient un intéressant match dont le résultat, pour l'instant, était que l'un vivait dans le déni et que l'autre attendait de lui répondre : je te l'avais bien dit !

8

Les préparatifs battaient leur plein.

Mes sœurs étaient littéralement débordées, mes belles-sœurs bataillaient au cœur de l'action. La cuisine n'avait rien à envier à un quartier général.

Malgré ces temps difficiles, la comparaison osée avec la guerre et la plaisanterie qui l'accompagnait faisaient rire les hommes qui, terrifiés, s'étaient réfugiés chez Émile. Le général en chef, Esther la bien nommée, aboyait ses ordres à de pauvres sans-grade. Chacune exécutait une tâche très précise, savamment dosée selon son talent, son âge et la position sociale de son mari.

Dans les rangs se tenaient Germaine et Hannah. Elles étaient enrôlées dans le façonnement des bricks, feuilles à la composition fort simple — farine de blé, sel, eau —, mais dont la réussite exige plusieurs qualités dont la dextérité, l'habilité, la rapidité, la pratique. Elles épluchaient également les légumes.

Hannah n'avait pas le moral. Les frasques de mon frère se multipliaient. Je pensais à l'injustice de la situation. Lui, parce qu'il était un homme, sortait et se conduisait comme il le voulait ; ma sœur Ninon, parce qu'elle avait joué de la musique sur le balcon, devait se marier. Mamina avait coutume de dire qu'un homme qui va courir ailleurs sort le péché de la maison, qu'une femme le fait rentrer. Voici peut-être ce qui constituait un embryon d'explication.

— Cesse de te lamenter, la brusqua Yolande, tant que ton mari dort tous les soirs dans son lit, tu n'as pas de quoi te plaindre. De plus, tu connais le proverbe : Étends ton amoureux comme du linge sur la terrasse, si ton destin est de le garder, il ne s'envolera pas !

Les jérémiades d'Hannah retentirent de plus belle dans la cuisine. Esther gronda.

Elle chapeautait les fritures, ce qui était le plus difficile, comme tout le monde le savait. La pâtisserie, dûment miellée, reposait à l'abri de la chaleur dans la pièce dite « froide » de l'appartement, depuis plusieurs jours. Germaine avait accompagné Esther dans sa confection délicate, car elle possédait des doigts de fées.

Elles s'affairaient et elles me poussaient, telle une boule de billard, de place en place. Je ne pouvais toucher à rien, n'aider en rien. La situation ne brillait pas par sa nouveauté. Je ne savais pas cuisiner, ni entretenir la maison parce que j'étais la petite dernière. Chaque fois que je priais Esther de m'apprendre, elle me répondait que cela lui prendrait moins de temps de le faire par elle-même. Alors, la routine s'était instaurée. Je demandais, par pure politesse, et on me rabrouait, par pure habitude.

Cependant, pour cette occasion, j'avais endossé un rôle particulièrement incongru : celui de fournisseur. En effet, grâce à Agnès principalement, j'avais pu procurer à mes sœurs tous les ingrédients nécessaires à la préparation d'une noce. En retour, j'avais reçu l'ordre d'inviter mes amies du bureau à assister aux festivités, ce qui ne m'enchantait guère.

J'avais honte d'avoir honte. De tous les côtés, de tous les bords. Honte de moi et des autres, mais surtout de moi.

J'avais enfin compris ce que « Husky » voulait dire lorsque, le 10 juillet, j'avais appris que les troupes alliées avaient débarqué

106

en Italie. J'en avais pleuré. Je travaillais au Centre de la préparation de la Campagne de Sicile et je ne m'en étais pas aperçue.

J'aimais ma famille plus que tout au monde et pourtant je craignais le jugement de mes deux amies qui ne méritaient absolument pas cette retenue mal placée. Agnès était emballée, Mady courait les boutiques depuis deux jours! Elles avaient été capables de m'offrir leur aide pour la préparation de cet évènement strictement privé alors que leur travail requérait concentration et prise de responsabilités, et moi, je déambulais comme une idiote. La vérité se dissimulait derrière une farce, une mascarade : je faisais semblant d'être contente, de travailler, d'avoir des amies, je faisais semblant de vivre. Tout le monde me portait une grande attention que je ne méritais pas. Je savais que je devais me secouer et ce mariage m'offrait sans doute une chance.

Aux dernières nouvelles, Rina voulait convaincre Albert de venir avec elle, preuve qu'ils avaient trouvé un terrain d'entente, ou qu'elle s'efforçait de lui donner des idées, ou encore qu'elle désirait lui prouver que les Juifs étaient dignes de porter le flambeau tunisien. Albert ne semblait pas facile à influencer, ni même très sympathique à vrai dire. Je me demandais comment je réagirais, maintenant que je connaissais ses secrets, un avantage qu'il ne possédait pas sur moi!

La samsara, la marieuse, avait donc présenté un prétendant à Ninon qui paraissait heureuse.

Je râlai, dans mon for intérieur, contre ce mariage hâtif, déclenché pour une bêtise d'une gamine qui cherchait de l'attention, peu de temps après des épreuves majeures. Je craignais que Ninon ne fût appâtée que par la seule perspective d'être le centre d'intérêt et de préoccupation de notre petite communauté, sans vraiment soupeser les conséquences inévitables à l'hymen, c'est-à-dire laver, cuisiner, mais surtout dormir dans le même lit qu'un inconnu.

Je gardais pour moi ces pensées trop avant-gardistes, sachant que mes frères auraient tôt fait de m'interdire de travailler dans un univers qui corrompt les jeunes filles. Je réalisais qu'ils trouvaient que je m'étais déjà trop bien acclimatée à mon nouvel environnement et que mon salut ne tenait qu'à la paye et aux avantages en nature que je rapportais. J'avais choisi, prudemment, de ne pas pousser trop loin ma chance : je n'évoquais que très rarement le travail, n'écoutais aucune musique américaine et ne parlais jamais anglais à la maison. Pourtant, je ne pouvais m'empêcher de penser que cet Élie Abitbol était un jeune homme dont nous ignorions l'existence, il y a seulement quinze jours.

J'avais trouvé, en revenant du travail, la marieuse en train de vendre sa marchandise, avec photo et « *Sur la tête de mon fils* » en renfort. Le mariage de Ninon avait été négocié plus âprement que l'armistice du 11 novembre 1918. En effet, la situation de Ninon paraissait très particulière. Outre ses exploits sur le balcon, qui avaient défrayé les radios trottoirs de Tunis pour plusieurs jours, elle portait encore le deuil et les célébrations s'en trouvaient ainsi quelque peu modifiées. Il n'en demeurait pas moins vrai que l'on ne pouvait départir le jeune homme et sa famille de tous les plaisirs de la fête. Surtout qu'on ne se mariait, prétendument, qu'une seule fois dans sa vie. La négociation avait donc porté sur un savant dosage des traditions et des apparences.

La date également avait posé problème. Le mariage se tiendrait entre Nar Agayine et les fêtes de Rosh Hachana, le Nouvel An juif, Kippour, le grand pardon et Souccot, la fête des cabanes, symbolisant la précarité des maisons dans lesquelles vivaient les Hébreux dans le désert, après leur fuite d'Égypte.

Nar Agayine se fêtait le neuvième jour du mois d'Av dans le calendrier hébraïque et commémorait différentes tragédies de notre histoire : la destruction des deux temples, l'expulsion des Juifs d'Angleterre au XIIIᵉ siècle et d'Espagne en 1442. Je comprenais qu'après un tel acharnement du sort, la prudence soit de mise pour mes congénères, mais de là à nous interdire de nous baigner, de peur de noyade ! De plus, nous devions manger maigre, c'est-à-dire que les boucheries fermaient et que les poissonneries se régalaient, ce qui n'était pas pour déplaire à Bébert, qui prenait ses seules vacances de l'année à ce moment-là.

Émile avait été chargé d'annoncer à la synagogue, après le shabbat, les fiançailles de Ninon et Élie aux hommes qui, les narines obstruées de nafa, le tabac qu'ils prisaient pour tromper les longueurs de la prière, scellaient le contrat du sceau de la moralité et de la bienséance. Ainsi, la bonne nouvelle proclamée, la vertu de ma sœur était sauve.

Il avait été convenu que la bague serait offerte dans le panier du henné, tradition qui n'avait rien de religieux et tout de coutumier, ce qui économisait beaucoup d'argent et de tracas aux deux familles : à la nôtre, l'organisation d'une petite réunion familiale, petit voulant dire, chez nous, nourrir au bas mot soixante-quinze personnes ; à la leur, l'achat d'autres bijoux.

Élie Abitbol, employé des postes, se révéla être un jeune homme timide et dégingandé. Il rendait visite à Ninon tous les soirs. Vers dix-huit heures, le heurtoir de la porte frappait un petit coup hésitant et nous nous pressions de lui ouvrir et de disparaître.

Il portait son costume de shabbat, et non ses habits de travail, ce qui l'amincissait et conférait un peu de prestance à sa silhouette courte et avachie. Il était lavé et rasé de près, et ses cheveux bruns étaient soigneusement peignés avec une raie sur le côté gauche. Il ne venait jamais les mains vides et apportait tous les soirs des friandises différentes : des pralines, des bonbons, des dattes…

Ninon, quant à elle, planifiait théâtralement son impact sur le pauvre jeune homme, rouge écarlate, qui fixait avec intensité le bout de ses chaussures noires aux talons éculés, en attendant qu'elle daigne lui permettre de s'asseoir, d'un petit signe de tête, à l'autre extrémité de la banquette.

Elle demeurait, languissante, son bras droit à moitié replié sur sa poitrine. La bretelle de sa robe avait négligemment glissé de son épaule gauche. Sa bouche était entrouverte et ses joues, pincées avec force, l'usage du papier chocolat Poulain mis au rencart pour un temps, se coloraient de rose pivoine.

Plusieurs châles masquaient notre pauvre divan usé jusqu'à la trame. Devant elle, sur une des tables gigognes recouvertes de marqueterie, luxe que nous devions à une cliente de mon père qui ne pouvait pas le payer, infusait une théière de menthe poivrée qui embaumait la pièce et quelques gâteaux.

Ils restaient là, ne parlant presque pas, pendant plus d'une heure. Enfin, il s'excusait et repartait chez sa mère, alors que

Ninon se ruait vers la cuisine en nous demandant ce que nous en pensions.

Après quelques jours de cette mascarade, j'avais totalement changé d'opinion sur mon futur beau-frère. Maintenant, je le plaignais sincèrement. Il était pathétiquement pris au piège dans les filets d'une mante religieuse implacable.

La dévotion de mes aînées s'exprimait complètement et entièrement. Sœur ou pièces rapportées, aucune ne ménageait ses efforts. Esther avait réuni ses troupes le soir même où les fiançailles avaient été scellées.

— Mamina n'est plus là et les temps sont durs, mais nous allons respecter sa mémoire et l'honorer. Que personne ne puisse dire qu'une fille Ouzari s'est mariée comme une mendiante !

La voix d'Esther avait frémi et avec elle, toute notre petite assistance.

— Voilà, je voudrais qu'on passe en revue tous les différents points à considérer.

Le général en chef reprenait du poil de la bête et j'étais plus à l'aise avec ce personnage.

— Premièrement, le trousseau. Ce serait vraiment difficile et coûteux d'en confectionner un. Aussi, je te donne le mien. Il est neuf et n'a jamais servi. Malgré tout, je pense qu'il faudrait rajouter une paire de draps, pour ta nuit de noces. Qu'en dis-tu ?

Ninon, incapable de parler, comme nous toutes, fondit en larmes, se leva et se jeta dans les bras d'Esther, bientôt suivie par les autres.

Ce n'était pas seulement généreux de la part d'Esther qui, en sa qualité d'aînée, avait bénéficié des plus belles pièces de lingerie, brodées et cousues par Mamina et mes tantes, il s'agissait d'un manifeste, d'une proclamation de foi. Esther affirmait son statut de vieille fille et se retirait du marché, alors qu'elle aurait parfaitement pu prétendre à prendre comme époux un jeune veuf ou divorcé. Elle avait symboliquement clarifié sa situation. Quand nous eûmes repris nos places autour de la table, elle continua.

— Pour le voile et la robe, je pense que Germaine et Yolande vont pouvoir nous arranger quelque chose.

Les deux concernées se consultèrent du regard et acquiescèrent de concert.

— Pour la cuisine, je dirige, vous obéissez, on va y arriver. Sarah, si tu pouvais nous procurer un peu de sucre et de farine...

Personne n'osa évoquer Jules et Simone dans ces préparatifs. On ne pouvait pas de toute façon compter sur eux. Ils seraient invités. C'était bien suffisant.

Et voilà comment tout avait commencé!

Le 25 août, il faisait une chaleur caniculaire. Mon oncle Mardoché était arrivé la veille avec femme et enfants. Depuis ce moment, il n'avait pas quitté d'un pas mon père. Ils s'étaient plus d'une fois enfermés dans sa chambre et je soupçonnais mon père de pleurer avec lui. Tant mieux, pensais-je, car il pouvait ainsi se dégager de ce qu'il ne voulait pas nous dire. Seulement, il y avait bien plus que cela, une fragilité, un abandon, un renoncement devant la vie. Le mariage de Ninon, qu'il avait pourtant mandaté, était le premier événement familial qui se déroulait sans son épouse. Et il n'était pas prêt.

Je me tenais à la porte et guettais mes amies, bien déterminée à ne pas les laisser seules une minute, quand j'aperçus, remontant la rue Sidi Bou Ahdid, un gigantesque panier de fruits monté sur pattes et oscillant dangereusement. Les boucles des rubans argentés dont il était recouvert rebondissaient joyeusement, agrémentant une meringue, Mady bien sûr, qui se déplaçait sur des talons aiguilles de la même couleur et offrait le bras à la gravure de mode du numéro 262 de *L'Officiel*[1] ! Ce petit groupe était flanqué d'un garde du corps, quelques pas en arrière, les épaules rentrées, le regard au sol.

— Agnès, tu es magnifique! dis-je, en la serrant contre mon cœur.

Elle avait fait coudre pour l'occasion le tailleur de la page de couverture du magazine que nous recevions directement de Paris, pour lequel nous déboursions la somme de dix-huit francs sans la moindre hésitation et que Germaine conservait jalousement, se constituant ainsi une banque de modèles pour ses futures clientes. Il était en vichy rose, coupé dans une toile de coton fraîche et légère. La veste s'ornait de manches au-dessus du coude et d'un petit col boutonné jusqu'au cou à l'aide d'adorables boutons de nacre. Une découpe bordée d'un large volant formait une deuxième encolure, s'enroulant bas autour de ses épaules. Sa coupe très cintrée était rehaussée d'une ceinture drapée à sa taille. La jupe était froncée aux hanches, ce qui équilibrait la silhouette d'Agnès et rappelait le falbala du haut.

---

1. *L'Officiel de la couture et de la mode (Organe de propagande de la défense de toutes les Industries de la Nouveauté)* paraît pour la première fois en 1921. En 1943, il devient *L'Officiel de la mode*. De nos jours, il s'intitule *L'Officiel*.

Elle portait des gants et une capeline blancs avec un léger tulle noué en forme de bouton de rose, au-dessus de son chignon banane ainsi que des escarpins immaculés. Agnès resplendissait, d'une élégance et d'un bon goût à couper le souffle.

Une robe couleur menthe à l'eau m'habillait.

Mamina disait qu'une brune vêtue de vert avait l'air d'une aubergine, seulement Germaine avait fait de son mieux avec les coupons sur lesquels elle avait pu mettre la main. La robe était simple, mais élégante, avec des manches courtes et une jupe très évasée qui donnait envie de tourner sur soi-même pour qu'elle s'envole. J'aurais pu tomber sur pire.

Mady avait donc opté pour la surcharge et ne pouvait pas vraiment se tenir près de quiconque tant ses rubans, volants et nœuds obligeaient à une certaine distance. Le voile mystérieux entourant le pourquoi des culottes de Chiara venait de s'élucider! Elle me faisait aimer passionnément ma robe.

Rina attirait l'attention en rouge vermillon. Un bel ensemble coupé près du corps qui flattait ses courbes gracieuses. Elle avait coordonné tous ses accessoires, gants, chapeaux et chaussures. Seul son cavalier jurait. Il semblait être là sous la contrainte. Je m'efforçai d'aller vers lui.

— Albert, je suis contente de te voir. Comment vont tes parents? Rina, laisse-moi te débarrasser de cette corbeille. Mon Dieu, elle est gigantesque. Je ne pense pas que c'était nécessaire.

La maison avait été transformée simplement, mais efficacement. La majorité des meubles avait été poussée le long des murs, les plus gros remisés dans une pièce fermée, alors que la chambre de Mamina était devenue le quartier général de la mariée. De longs tréteaux de bois, drapés de linge blanc, tenaient lieu de buffets.

Au fond du salon, nous avions aménagé une sorte d'oasis pour les tourtereaux. Un sofa, couvert de tissus chatoyants et de coussins brodés, reposait sur un somptueux tapis de Kairouan qui nous avait été prêté, renforçant l'impression d'un halo suave et mordoré.

Cet ornement était célèbre dans toute la Tunisie. On racontait qu'une jeune fille, Kemla, l'enfant du gouverneur turc de la ville, aurait appris aux femmes de la cité à employer sur des métiers verticaux une technique consistant en points noués. C'était ce nœud qui faisait la particularité de ce tapis non tissé, aux motifs hexagonaux délimités par des bandes d'encadrement.

Les invités arrivaient maintenant par groupes compacts.

— Je salue quelques personnes et je reviens tout de suite pour tout vous expliquer, murmurai-je à l'oreille d'Agnès.

Alors que j'embrassais mes tantes, je vis Jacob se rapprocher de mes amies. J'espérais qu'il n'oublierait pas de les remercier pour les provisions.

— Dis-moi, quel charmeur, ton frère! me susurra Mady à mon retour auprès d'elles.

Je haussai mes épaules et fis une moue qui la fit rire. J'en connaissais une qui ne devait pas trouver cela drôle.

— Alors, qu'est-ce qui se passe maintenant? demanda Agnès.

— Voilà, les mariés sont à jeun… ils doivent être le plus purs possible, comme à Kippour, le jour du grand pardon. Les rabbins ont préparé la kétouba, c'est-à-dire le contrat de mariage. Dans ce cas, c'est allé très vite parce que rien plus rien, c'est en général égal à pas grand-chose. Et encore… Si on est de nature optimiste.

Rina était morte de rire.

— Chut! La mariée arrive.

Germaine avait accompli des miracles et Ninon irradiait dans une robe unique.

Je savais que ma sœur y avait passé toutes ses nuits, mais le résultat semblait digne d'un grand couturier. En fait, le décalage entre la robe, l'environnement et la personnalité de Ninon semblait si énorme qu'une forme de dissonance flottait dans la pièce.

— La mariée est grande et la porte de la chambre bien basse, murmura Yolande à côté de moi.

Non, il n'y avait pas que moi. Cependant, je me retournai, scrutai les visages. Personne d'autre ne semblait réagir.

Ninon avança très lentement au milieu de la pièce. La robe éclatait d'un blanc de neige, de coupe empire, très sobre avec de petites manches et un décolleté modeste. La jupe évasée attirait toute l'attention. Elle était nattée de bandes de soie de huit centimètres de large sur toute sa hauteur, ne formant qu'un seul et unique morceau sans couture. La spécialité de ma sœur. Un chef-d'œuvre! Le chignon que Ninon portait bas dans la nuque retenait par des pinces un voile simple et pur. Son bouquet se résumait à une branche de jasmin.

Élie, aussi gêné que d'habitude, dans son costume gris, leva des yeux interloqués, se demandant sans doute ce qu'il avait fait pour mériter une telle épouse.

Tout alla très vite, le kiddouch[1], l'anneau sans gravures ni ciselures, la signature du contrat avec les témoins, le verre brisé... Ils étaient mariés! Les youyous[2] des femmes retentirent, l'heure sonnait de passer aux choses sérieuses : le buffet.

Alors que les mariés prenaient place sur leur trône, recevant les félicitations des invités, je me précipitai à la cuisine pour aider. Rina, Mady et même Agnès me suivirent pour me donner un coup de main en apportant au salon les variantes[3], les bricks aux pommes de terre, au thon, les olives, la salade de carottes, celle aux navets, la minina, cette omelette de poulet qui se présente comme un gâteau, les œufs de poissons séchés, c'est-à-dire la boutargue, l'anisette et la boukha, l'alcool de figues si cher aux Tunisiens.

— Tu crois vraiment qu'on va manger et boire tout ça? me demanda Mady d'une voix perplexe.

— Attendez ma belle, vous n'êtes pas au bout de vos peines, répliqua Yolande en tenant deux plats de poisson en équilibre sur ses mains.

Je servis mes amies tout en leur décrivant les plats.

— Ce plat s'appelle hrayimi, le poisson malin, et il est de toutes les célébrations. C'est du loup. Il est cuit avec du citron, du paprika, de l'harissa et de la purée de tomates. Nous aimons

---

1. Dans le judaïsme, le kiddouch est une bénédiction prononcée sur une coupe de vin cachère ou de jus de raisin cachère lors du shabbat ou d'un jour de fête.
2. Les youyous sont de longs cris aigus et modulés que poussent les femmes du Maghreb pour manifester une émotion collective lors de rassemblements joyeux.
3. Légumes crus assaisonnés dans du vinaigre.

la cuisine colorée. Chez nous tout est rouge à cause des tomates justement, jaune grâce au safran ou noir parce qu'il y a des épinards, vous le constaterez vous-mêmes après. De plus, il faut toujours du poisson, c'est contre l'ainara, le mauvais œil, qui constitue la peur la plus terrible à laquelle font face les Tunisiens. Il s'agit d'une superstition qui leur fait craindre l'envie des autres.

Mes amies ouvraient des yeux et des bouches tout grands. Esther s'était surpassée et Mamina pouvait être fière.

— Silence! Le moment de la corbeille est arrivé, annonça Émile à l'assemblée, qui n'attendait que cela.

Chacun posa son assiette où il le put et se rapprocha de Ninon et d'Élie. Du fond de la pièce, la mère d'Élie ainsi que ses sœurs arrivèrent en procession, tenant une énorme corbeille couverte de rubans dorés. Je me devais d'expliquer ce qui se déroulait devant nous.

— Vous voyez, cette corbeille appartient à la mariée, elle contient des cadeaux traditionnels et le henné que l'on va placer sur toutes les paumes des jeunes filles et fixer avec une gaze et un lien rouge. Cela va nous porter bonheur…

Ninon découvrait maintenant ses cadeaux sous les cris admiratifs des invités. Des flacons de parfum, des foutas, c'est-à-dire des paréos de soie de toutes les couleurs, la bague de fiançailles qu'elle exhibait fièrement, même si elle paraissait minuscule, et les chaussures.

— Pourquoi autant de chaussures? demanda Agnès.

— Je n'en ai pas idée! C'est la tradition. Des mules, des babouches, des souliers à talons plats et hauts, de toutes les couleurs. Approchez-vous, on va vous mettre du henné.

Alors que rien ne le laissait prévoir, la voix pure de Ratiba, la meilleure amie de ma mère, s'éleva en un taalil mélodieux. Il ne devait pas y avoir de musique puisque nous étions en deuil, pourtant personne ne songea à l'interrompre. Nous étions comme ça, nous les Tunisiens, un battement de mains et nous nous mettions à danser, envers et contre tout, la maladie, la guerre et la mort.

La vie l'emporte sur tout, la rage de survivre, surtout. Il y avait une semaine, le 17, les troupes du général Patton étaient entrées dans la ville de Messine en Italie et avaient traversé la Sicile, où les dernières résistances allemandes avaient été vaincues. Ce soir, ils campaient en face de nous, en ligne droite à travers la mer. Leur présence nous apportait de la joie et de l'espoir. En cela, je me reconnaissais complètement, mes racines se trouvaient là, au cœur de cette chanson magnifique qui signifiait tant pour moi. La salle était en transe. Je surpris mon père écrasant une larme sous son large pouce.

Tout d'un coup, je sentis que Mamina avait mis sa main dans mes cheveux, je humais son parfum et ma peau frissonnait au frôlement des pointes du foulard qu'elle nouait sur les siens. Lorsque mes doigts essuyèrent les pleurs qui coulaient tout seuls, ils frôlèrent une boucle parfaitement apprêtée, dont je n'étais pas l'auteure.

L'espace fugace d'un instant j'aperçus, près du buffet, une très vieille femme que je ne connaissais pas et qui me regardait si intensément que ses yeux paraissaient ne faire qu'un. Cela me déconcerta, pendant que la voix de Ratiba nous chavirait :

Bonjour, ma beauté. Bonjour ma lune qui
monte!
Bonjour, que ta journée soit belle.
Est-ce que je t'inspire de la passion?
Ayez de la peine pour moi, le
pauvre qui veille sans dormir.
Moi, le pauvre Élie qui est amoureux de toi.
Lumière de mes yeux, viens me consoler.
Tu es ma vie et ma condition empire.
Mon cœur souffre, mon amour, tu es mon
remède.
Il palpite et je ne peux être soigné que par tes
mains.
Ô! Ma beauté, toute pour moi. Ta grâce
Divine est en moi.
Toi, tu es ma brise qui me fait renaître. Tu
représentes l'amour qui me ressuscite.
Et aussi celle qui me rassure.
Mais voilà, aie pitié de moi, je me languis!
Ô! Ma beauté d'été[1].

Il était maintenant temps de sortir la pkaïla[2] et nous nous
précipitâmes vers la cuisine pour nous préparer à servir ce plat
somptueux réservé aux fêtes et dont la dégustation, en raison
de la diversité des ingrédients, se révélait un festin.

---

1. *Taalilat Laaroussa*. Le taalil de la mariée, louanges chantées à l'occasion
d'un mariage.
2. Plat mijoté et cuit à l'étouffé, à base d'épinards confits et de haricots
blancs. On le déguste accompagné de graines de couscous.

— Je vous préviens, c'est noir. Il faut comprendre que ce sont des épinards, alors forcément. C'est vraiment bon. En revanche, pas de taches, sinon cela ne partira pas, dis-je à Agnès et Mady qui semblaient soûles d'informations, à défaut d'alcool, et prenaient un air un brin hébété.

Du coin de l'œil, j'observais Rina et Albert.

L'endroit n'était guère approprié pour lui demander des détails sur son couple, mais je me promis de trouver un petit moment le plus rapidement possible.

Pour l'instant, le service était compliqué. D'un côté, la viande, l'osbana, coupée en tronçons et les rondelles de pieds de bœuf, de l'autre la sauce aux haricots et épinards et enfin la graine du couscous.

— C'est quoi, la... os... ? demanda Mady.

— C'est une grosse saucisse très relevée : de la menthe, de la coriandre, de l'harissa et des tripes dans un boyau. C'est délicieux, lui répondis-je en l'encourageant du menton.

— On ne voit pas les épinards. Où sont les feuilles ?

— On les fait frire sans les brûler et, crois-moi, c'est de la haute voltige ! Après, ils se fondent dans la sauce.

— Et tu sais faire tout ça, toi ?

— Tu plaisantes, j'espère ! Mange, sinon Esther va se vexer. Elle tient un petit carnet noir avec les noms de tous ceux qui n'apprécient pas sa cuisine. Certains ont disparu sans jamais redonner signe de vie ! Que sont-ils devenus ? Le mystère reste entier...

Mady ouvrit des yeux ronds et mit sa fourchette dans sa bouche. J'adorais cette fille. Elle était trop charmante. Tout le monde mastiquait. Esther souriait. Ninon roucoulait. Il était temps de m'occuper de Rina, qui se trouvait seule à côté du buffet, tandis qu'Albert était en grande conversation avec Bébert et ma sœur Yolande.

— Alors ? attaquai-je de but en blanc.

— C'est bon.

— Je ne veux pas parler de ça.

— Je sais.

— Vous avez parlé ? insistai-je lourdement.

— Pas un mot.

— Comme si rien ne s'était passé !

— Eh oui, il veut jouer, je joue. Mais le prochain mariage sera le mien.

— Rina, on ne force pas quelqu'un à se marier, dis-je, désorientée et inquiète en entendant la détermination dans sa voix.

— On verra bien.

Ce fut le dernier mot que je pus tirer d'elle, car déjà Albert revenait près d'elle et je devais débarrasser la table et sortir le buffet de sucreries.

— Sarah, une orgie, c'est une orgie, souffla Agnès à mon oreille

Il est vrai que le buffet regorgeait de desserts. Il y avait tant de miel que l'on se serait cru dans une ruche. Des bricks aux amandes, aux dattes, des makroudes[1] aux amandes pour les mariés, la debla[2], des dattes farcies, des noix farcies et de la confiture de raisins, de figues pour accompagner des tranches

---

1. Petits gâteaux à la semoule et aux dattes.
2. Pâte découpée en lanières, qui sont ensuite enroulées sur elles-mêmes, frites et arrosées de miel. Appelée également oreillette.

de bescoutou [1], le tout était servi avec du thé et du café ou de la citronnade. Je serrai Agnès dans mes bras.

— Tout cela, c'est grâce à toi. Merci pour tout, je te dois tant, vraiment, je n'oublierai jamais.

— Merci à toi, espèce de cruche, me répondit-elle en prenant un accent titi parisien.

Peu à peu, la maison se vida et nous nous retrouvâmes, nous les enfants de Mamina, sur le point d'être amputés d'un autre membre. Les mariés allaient partir dans leur nouvelle demeure et Ninon pleurait. Elle avait peur parce qu'elle tirait sa révérence. Le rideau venait de tomber sur un spectacle splendide et totalement inespéré. Fini les faux-semblants. Adieu futilité. La vraie vie, pour elle, commençait, non pas celle dont elle avait rêvé. Pourtant, au cœur de la nuit tunisoise, chaude et humide, où les senteurs des plats regorgeant d'épices demeuraient en suspension, mon vœu le plus cher était que sa nouvelle vie comble toutes ses aspirations, tous ses rêves.

---

1. Sorte de biscuit de Savoie.

9

— Pas question que tu te défiles !

Le ton d'Agnès s'affichait, péremptoire. Non, je ne voyais pas comment j'allais pouvoir m'en tirer.

Le bureau tournait au ralenti pendant cette semaine de fêtes. Ceux qui n'étaient pas d'ici avaient le moral à zéro. Juste avant Noël, j'avais été chargée de poster toutes les cartes de vœux du service. Sur le sommet de la pile, celle de Françoise, celle qui m'avait reçue le premier jour. Je n'avais pu m'empêcher d'y jeter un coup d'œil. Il s'agissait d'un dessin en noir et blanc. On y voyait trois personnages : deux militaires, certainement des MP[1], en interpeller un autre, en short, éméché avec un chapeau grotesque sur la tête. Ils se tenaient devant un palais arabe et, à leurs pieds, la formule « *CHRISTMAS GREETINGS FROM THE MEDITERRANEAN* » fleurissait. La carte arborait un petit air colonial et était adressée à Miss Kellaher, aux ministères des Affaires étrangères, à Londres. « From Françoise, with love » signait le tout. J'oubliais souvent que bon nombre de mes collègues étaient loin de leur famille, de leurs proches, de leur ville, et qu'ils vivaient ici avec peu de repères. Je pensai à toutes ses mères, sœurs, filles et amies, tributaires de la poste pour avoir des nouvelles des êtres chers partis combattre.

1943 allait céder la place à 1944.

Tout le monde espérait que cette année marquerait la fin de la guerre.

---

1. *Military Police* : la police militaire.

L'automne avait été très chargé. Le bureau, secoué par les prises de position du général de Gaulle, devait s'adapter. Celui-ci s'avérait un partenaire difficile à manipuler. Lors de son installation à Alger, en septembre, il avait trouvé en place son homologue Henri Giraud, figure forte, qui avait participé à la conférence de Casablanca, au Maroc, quelques semaines plus tôt. Giraud refusait un quelconque partenariat avec la Résistance française par peur d'infiltration communiste. Bien sûr, cette façon de voir coïncidait avec celle des Américains. Cependant, de Gaulle ralliait si bien tous les courants, qu'au nez et à la barbe d'Eisenhower, un contre-pouvoir à l'allure démocratique siégeait maintenant en Algérie. Pour couronner le tout, les troupes s'enlisaient en Italie.

Comme je le répétais souvent, Tunis était une ville vibrante et ses habitants, des bons vivants par excellence. Aussi, les sorties nocturnes faisaient-elles partie intégrante de la vie tunisoise. Tous, juifs, musulmans, catholiques, Français, Italiens et aujourd'hui Américains, goûtaient à la douceur des nuits pendant cette époque de l'année. Tous, sauf moi. Que Mamina ait été malade longtemps, que je sois la plus jeune et que mes frères soient très autoritaires, tout ceci n'avait certainement pas favorisé les choses. À vrai dire, je n'y avais jamais pensé.

La soirée des Miss avait laissé des traces. Jules avait tellement insisté que mon père avait fini par lui donner raison : tout le monde s'en était mêlé et avait convenu que je n'aurais jamais dû y aller.

Seulement, Agnès avait fait un point d'honneur que je me rende à ce réveillon. Il m'était difficile de ressortir l'excuse du travail, d'autant plus que je n'avais absolument pas collaboré à l'organisation de l'événement. Il fallait jouer sur la corde sensible et sans doute rappeler à mes frères à quel point elle les aidait. Chargée d'une nouvelle commande consistant en la pose d'écussons additionnels sur cinq mille vestes de sortie, elle était partie voir Jacob dans son échoppe de tailleur, rue des Maltais. Elle l'avait appâté avec une demande de devis pour le rajout d'un rabat anti-gaz en flanelle, réclamé par les soldats, sur mille pantalons M43. Puis, elle l'avait charmé et enfin persuadé qu'une soirée du Nouvel An organisée au bureau ne pouvait avoir lieu sans tous ses employés, que mon absence serait interprétée comme du snobisme et nuirait à l'esprit de corps du service et à mon probable avancement. Il était tombé dans le panneau, flatté qu'une femme si élégante se soit déplacée spécialement pour venir le voir, se rengorgeant dans sa fierté de mâle, aveuglé par sa propre suffisance.

En deux temps, trois mouvements, elle l'avait roulé dans la farine et obtint même qu'il se charge de convaincre mon père, Esther et Émile, car j'allais devoir, en plus, manquer le repas du shabbat. Voici pourquoi je me trouvais en ce vendredi soir chez Mady, me faisant coiffer, pomponner et habiller par mes amies, excitées comme des puces, qui m'examinaient sous toutes les coutures. Elles avaient pensé à tout. Moi, je ne voulais penser à rien.

— Arrête d'être molle comme ça! Comment veux-tu que je t'agrafe? s'écria Mady. Franchement, tu n'y mets pas beaucoup de bonne volonté. Tu sais que nous faisons tout cela pour toi, au moins.

Mady soupira, puis roula les yeux d'un air de martyr.

— Première nouvelle! On dirait une vraie mère juive, lui répliquai-je d'un ton cinglant, alors qu'elle ne le méritait aucunement.

— Italienne, ma belle. Crois-en mon expérience, c'est pire…

— Des poules, des volailles en train de caqueter, cot cot cot, coupa Agnès. Les filles, on doit se concentrer sur l'essentiel.

— Quel essentiel? risquai-je, au bord du désespoir.

Agnès me regarda droit dans les yeux.

— Ma pauvre chérie, si naïve, si pure… Une vraie bécasse! Pourquoi me suis-je donné tant de mal pour organiser cette soirée entre collègues? Pour découvrir ton admirateur anonyme, voyons!

Sa voix avait monté étrangement dans les aiguës.

— Ben, où avais-je la tête? Bon… Et s'il n'y en a pas, que fais-tu? Tu te jettes sous le TGM?

Je songeai que mes amis étaient vraiment en train de grossir la situation, de faire une histoire d'État d'un fait fort banal.

— Je n'entends rien… des sons qui ne forment aucun mot, encore moins des phrases… blablabla… me répondit Agnès, les mains sur ses oreilles.

Mady s'esclaffa et ajouta :

— Sarah, combien de pots de glace as-tu reçus? Non, non, ne te fatigue pas, je les ai comptés : 118. Cent dix-huit! Tu te rends compte… De toutes les saveurs… Tous les jours… Crois-moi, tu as bel et bien un admirateur.

Je devais me résoudre à leur donner raison.

Aussi inexpérimentée que je pouvais l'être, je savais que je suscitais l'attention de quelqu'un et qu'il ne semblait pas vouloir se décourager. Pourquoi? Pourquoi utiliser ce stratagème et ne pas venir me parler?

Je devinais la réponse à cette question. Je pense que je n'avais pas l'air très agréable. J'étais sur la défensive en permanence. S'il m'avait abordée, je l'aurais immédiatement rabroué, sans même réfléchir, alors que là, ma curiosité et l'intérêt que les autres membres du bureau attachaient à cette affaire menaient à plus de circonspection.

Ainsi, je me trouvais au milieu de la chambre de Mady, robe à jupon large, petites bretelles, décolleté en forme de cœur et ceinture : parfaite tenue pour un parfait appât. Agnès portait un ensemble de dentelle pêche et Mady, une jupe et un corsage à pois blancs sur fond vert. Nous avions, toutes les trois, fière allure. Gants, sacs, gilets. Nous étions prêtes.

— Ce rose est vraiment délicat sur toi, c'est adorable, hasarda Mady.

— Bof! répondis-je, j'appellerais plutôt cette couleur cuisse de nymphe émue. C'est un peu comme si je portais un écriteau…

En vraie fille de son père, qui était peintre, j'aimais donner un nom précis à chaque teinte. Enfant, je jouais avec le nuancier qu'il s'était fabriqué pour montrer à ses clientes exigeantes l'éventail de ses talents. Mon univers se précisait à mesure que je grandissais auprès de mes amies, de mes collègues. Je quittais le monde de l'enfance et je reconnaissais maintenant ce qui m'inspirait : les nuances, la structure des choses, la gastronomie… En y pensant, je m'apercevais que mon plurilinguisme découlait de ces variables. Une langue se goûtait; elle possédait, évidemment, sa couleur propre et son architecture distincte articulait sa grammaire. Satisfaite de ma trouvaille et perdue dans mes pensées, j'entrevis à peine Mady qui ouvrait la bouche, puis la refermait, d'un air ahuri. Agnès me gratifia d'une remarque cinglante, qui me remit la tête en place.

— Tu sais que ta lubie des couleurs est vraiment fatigante !

Elles ne savaient pas que, pendant six mois, j'avais vécu dans un univers monochrome. Si l'on m'avait demandé de décrire l'appartement pendant la maladie de Mamina, j'aurais répondu « maronnasse ». Certes, les rues exiguës de mon quartier, ainsi que les moucharabiehs[1], favorisaient une pénombre continuelle. Ce soir, je pensais pourtant à ces fenêtres orientales et autres jalousies qui se déclinaient toujours closes et à la souffrance des femmes qui se cachaient derrière.

Alors que je m'apprêtais à sortir de la pièce, Agnès me retint par le bras.

— Écoute, Sarah, j'aimerais te donner quelque chose... parce que, ce soir, je me sens un peu comme ta marraine bonne fée et que j'espère que nous resterons ensemble longtemps et que tu ne m'oublieras pas de sitôt.

J'étais gênée. Cette sensiblerie ne ressemblait pas à la personne forte et sûre d'elle que je connaissais. Je ne savais pas quoi répondre, car je ne voyais pas où elle voulait en venir.

— Agnès, tu es mon amie pour toujours, n'en doute pas.

Elle fouilla dans la bourse qu'elle avait accrochée à son poignet et en sortit un tout petit paquet rectangulaire.

— C'est pour toi, ouvre-le.

---

1. Système de fenêtres qui permet de voir sans être vu.

— Qu'est-ce que c'est ? Ce n'est pas mon anniversaire. Je ne peux pas accepter. Non, non…

Je sentais la panique s'emparer de moi. Je n'avais jamais reçu de cadeaux. Juste une orange et un ballon, pour Pourim, il y avait bien longtemps, et un bracelet en or…

— Ce n'est pas grand-chose, plus un symbole.

Avec des doigts malhabiles, je déchirai le paquet cadeau et je révélai un étui de la marque Guerlain qui portait une ravissante inscription en lettres cursives noires : « Ne m'oubliez pas. »

— C'est un rouge à lèvres, tu vois, tu le sors comme ça.

Agnès fit activer la poussette et découvrit un bâtonnet de cire rosée.

— L'usine Guerlain de Bécon-les-Bruyères a été bombardée cette année, ajouta-t-elle. Des stocks ont pu être sauvés, alors voilà, j'ai mis la main sur quelques spécimens. Sarah, le rouge à lèvres, ce n'est pas un artifice pour attirer les regards, ou plaire, c'est un symbole de liberté, d'émancipation ! Cette guerre, une fois finie, aura changé les mœurs, tu verras. Les hommes ont dû faire appel à nous. Nous nous sommes montrées capables de travailler, d'être performantes, et pas seulement de faire des enfants et d'éplucher des patates ! Maintenant, ils le savent et les choses ne pourront plus recommencer comme avant. On ne revient pas en arrière si facilement. Mets du rouge à lèvres tous les jours et sois fière de ce que tu es. Ne laisse jamais un homme te dicter sa loi ! Affiche tes couleurs, toi qui les aimes tant ! Là, j'ai choisi un rose tendre, parce que tu es vraiment très jeune, mon petit bout de chou, mais l'intention est la même.

Je n'avais jamais entendu aucune femme tenir un tel discours. Agnès avait, à sa manière, exprimé ce que je ressentais au plus profond de moi-même depuis toute petite. Les bons jours, je me considérais originale, les mauvais, folle. Je n'étais, après tout, pas aussi atypique, d'autres pensaient comme moi. Tout à coup, un poids énorme glissa de mes épaules. Ma peur de cette soirée s'évanouit. Je me saisis d'un petit miroir et caressai mes lèvres avec le maquillage, les pinçai l'une contre l'autre en découvrant la nouvelle moi. Je me sentais prête à démasquer mon amoureux imaginaire.

— Une dernière chose : ne touche pas à tes cheveux ! m'intima Mady.

Nous partîmes toutes les trois, nous tenant par le bras, vers les bureaux apprêtés pour l'occasion. Un comité de décoration avait été nommé et, lorsque nous franchîmes le seuil, j'eus le souffle coupé !

Impossible de reconnaître les lieux. Ils avaient été transformés en une piste de danse avec une estrade pour un petit orchestre aménagée sur le côté. Il y avait un buffet de boissons sur lequel trônait un grand bol de ce qui m'apparaissait être du jus de fruit, ainsi qu'une louche pour se servir et des tas de verres. Du plafond pendaient des rouleaux de papier-toilette torsadés, qui s'enroulaient aux piliers de la structure. Je m'efforçais de ne pas trop écarquiller les yeux. Notre arrivée ne passa pas inaperçue. Le coup d'envoi de la soirée pouvait être donné. Des musiciens, issus des troupes, se mirent en place et *In the Mood*[1] retentit, sous les hurlements enthousiastes de mes collègues.

1. Paroles d'Andy Razaf, musique de Joe Garland. Chanson interprétée par les Andrews Sisters accompagnées par le *Glenn Miller Orchestra*, notamment durant les émissions radiophoniques en direct de New York entre décembre 1939 et mars 1940.

La piste de danse se remplit immédiatement. Mady fut soulevée d'à côté de moi, tandis qu'Agnès attrapait un fruit coincé dans le fond de son verre tout en parlant avec son pendant du troisième étage. Je demeurais près d'un des poteaux, le bout de ma chaussure oscillant au rythme de la chanson, tout en chantonnant les paroles :

In the mood... that's it I got it
In the mood... your ear will spot it
In the mood... oh, what a hot hit
Be alive and get the jive
You've got to learn how.

— Votre accent est surprenant.

Un officier venait de m'adresser la parole. Je savais qu'il s'agissait d'un gradé, parce que mes yeux arrivaient à la hauteur de son insigne, sur son cœur, donc je devais lever la tête pour voir son visage. Pour l'instant, ils restaient obstinément fixés sur mes chaussures.

— Surprenant, dans le sens... pour une petite Tunisienne ou surprenant, dans le sens... on croirait une Américaine ?

— Disons : un accent américain dans la bouche d'une jeune fille tunisienne, pas très grande de taille !

Je pris une boucle de mes cheveux et la fit s'enrouler autour de mon index, elle retomba, parfaite. Je devais me décider à le regarder. Je ne vis que ses yeux bleus et un sourire de dents blanches.

— Nous nous sommes déjà rencontrés ? Parce que je ne m'en souviens pas.

J'avais spontanément parlé en français et je me félicitai immédiatement de mon choix. Ce jeune homme était bien trop sûr de lui, pas question que je lui facilite les choses.

— Il me semble que nous travaillons sur le même étage. De toutes les façons, tout le monde vous connaît. Je m'appelle… William Cody, vous pouvez m'appeler Bill.

— Enchantée, je m'appelle Sarah Ouzari, vous pouvez m'appeler Sarah.

— J'aime mieux Bout'ch, si ça ne vous fait rien.

— Quoi? Non… Je ne vous permets pas… Voyons, certainement non!

J'étais outrée. Je bafouai. Ce nom était stupide. Et puis, d'où venait-il? Il éclata d'un rire clair qu'il semblait retenir depuis longtemps.

— Tout le monde vous appelle déjà Bout'ch! Vous devriez vous plaindre auprès de votre supérieure, c'est elle qui a lancé le bout de chou, la contraction s'est imposée d'elle-même.

Je gratifiai Agnès d'un regard assassin. Elle allait me le payer.

— Les autres, mais quels autres? Pourquoi parle-t-on de moi? Vous êtes ridicule!

— Non, vous êtes une vraie vedette, il y a des paris dans tous les services à propos des pots de glace…

Je manquai d'air. J'étais ulcérée…

— Des paris… sur quoi?

— Oh! Sur tout, les parfums, vanille ou chocolat, le nom du commanditaire, la date de l'arrêt, le nombre total…

Il énuméra les enjeux en comptant sur les doigts gigantesques de sa main et je le regardai commencer par son auriculaire, comme le pratiquent les Américains, alors que nous, nous démarrons par notre pouce.

— Stop! N'en dites pas plus, s'il vous plaît.

J'étais au comble du supplice et mes yeux fixèrent la porte.

— Vous voulez prendre l'air, vous êtes vert pistache.

Il semblait très satisfait de sa blague. Il insistait sur le pistache, en détachant les syllabes.

— Vraiment très drôle. Écoutez, puisque le seul but de votre soirée semble apparemment de ruiner la mienne, considérez votre mission accomplie et vous, comme étant relevé de vos fonctions. Au revoir, monsieur Cody.

Je me retournai, déterminée à trouver un moyen de rentrer chez moi sans gâcher la soirée de mes amies, remettant les explications à plus tard, quand il me retint par le bras.

— Je vous ai fait de la peine. Vraiment, je suis désolé, telle n'en était pas mon intention. D'habitude, c'est de moi, dont on se moque.

— Oui, et pourquoi donc?

Je répondais machinalement, continuant à chercher une solution pour quitter la soirée, mais j'étais également soulagée que la conversation ne soit plus centrée sur moi.

— À cause de mon nom. Bien sûr.

— Je ne vois pas ce qu'il a de risible. Bill Cody, c'est assez banal.

— Vous aimez le cinéma?

— Non! Encore une autre raison de vous moquer.

— Vous me comprenez mal. L'histoire de Bill Cody, mon homonyme, va être portée à l'écran. Elle appartient au domaine public.

— Félicitations! Cependant, je doute qu'en Tunisie…

La musique battait son plein et je me déboîtai le cou à essayer de repérer Agnès et Mady. J'échouai lamentablement.

— Je vous fais une proposition… Je vous offre un verre de punch et je vous raconte l'histoire de ce héros, après vous pourrez m'abandonner et rejoindre vos amies.

Résignée à survivre à cette soirée, j'acquiesçai. Agnès allait être déçue. Je ne trouverai pas ce soir mon glacier anonyme et c'était tant pis pour elle! Je tenais ma petite vengeance. J'écouterais la légende de ce… Cody, dont je n'avais cure, et je la leur ferais endurer, à elle et à Mady, en retour. Il revint près de moi, portant en équilibre dans une seule de ses grandes mains deux verres. Il s'agissait du mélange de fruits, mais, lorsque je bus la première gorgée, je réalisai qu'il baignait plus dans l'alcool que dans les agrumes!

— Wow… C'est fort.

Je n'avais pu m'empêcher de réagir par surprise et de le regretter dès que les mots eurent franchi mes lèvres. J'avais complété le portrait de la parfaite idiote, mais, après tout, il m'importait peu.

— Oui, j'ai bien peur que le comité ait exprimé son mal du pays en organisant une soirée aux relents de bal de fin d'études.

Il avait fait sonner sa réplique comme une excuse et m'avait envoyé un clin d'œil aussi déroutant que charmant, tout en désignant les guirlandes qui pendaient du plafond.

— D'où êtes-vous?

— Ma famille vient de l'Oregon, mais nous sommes marqués par le voyage, comme vous pouvez le constater.

Il rit à nouveau. La tension du début de la conversation était encore présente.

Je le suivis alors qu'il slalomait entre les tables. Le bruit de l'orchestre s'atténuait et, effectivement, il m'avait conduite vers un hall où nous entreposions certaines marchandises quand la réserve débordait, mais qui, pour l'occasion, avait été arrangée comme une aire propice au dialogue et à plus de tranquillité. Des guéridons drapés de blanc et quelques tabourets s'offraient aux danseurs exténués, ou aux réfractaires aux musiques modernes.

Il m'avança un siège et attendit que j'y prenne place pour s'asseoir à son tour. Nos verres reposaient sur la nappe immaculée.

— Alors, vous racontez, j'écoute, dis-je, rompant le silence. La vérité, rien que la vérité, ne cherchez pas à m'impressionner.

— Qui vous dit que je cherche à vous impressionner, plastronna-t-il, s'efforçant à l'évidence de m'épater.

— Oh! J'ai trois frères, deux beaux-frères, des cousins à revendre, les garçons veulent toujours faire les malins, j'ai de l'expérience, croyez-moi.

Il secoua la tête et afficha un sourire dubitatif sur ma prétendue maturité, puis commença son récit.

— Donc, mon grand-père s'appelait William Frederick Cody, comme mon père et comme moi… et comme le plus célèbre cowboy de l'histoire des États-Unis d'Amérique.

— Chez nous, on ne nomme pas les enfants du même nom que leurs parents. Le moment venu, l'ange de la mort doit pouvoir faire la différence.

— Charmant! Vous coupez souvent la parole aux gens?

— Tout le temps. Continuez s'il vous plaît.

— En fait, mon grand-père se plaisait à dire que c'était lui qui s'appelait comme nous.

Il fit une pause, guettant une réaction qui ne vint pas, et poursuivit.

— Bill, l'autre, est né le 26 février 1846, dans l'Iowa, mais son père était originaire du Kansas. Celui-ci arborait un caractère bien trempé et des idées plus ou moins discutables. Bref, lors d'une réunion où il s'exprimait en faveur de l'esclavagisme, il fut blessé et mourut plus tard, laissant son fils livré à lui-même, à seulement quatorze ans.

— Et sa femme?

— Je crois qu'elle était déjà morte, répondit-il avec beaucoup de patience.

— Je connais ça…

J'avais murmuré, nous avions instinctivement baissé notre ton de voix, et maintenant notre conversation prenait des airs de confidence.

— Les temps étaient particulièrement troublés, en pleines prémices de la guerre de Sécession, le Nord et le Sud divisés. Les États du centre, comme le Kansas, représentaient un enjeu crucial. Le Nord était industrialisé, riche, avec des idées modernes et novatrices, contrairement au Sud, pauvre, conservateur et arriéré.

Je hochai la tête, lui faisant savoir que je connaissais cette partie de l'histoire : la lutte fratricide dont dépendit la libération de la population noire de l'Amérique.

Il continua.

— Il participa un an à l'aventure du *Poney Express*, qui acheminait le courrier le plus rapidement possible sur un territoire s'étendant de la rivière Missouri à la côte Pacifique. Il devenait ainsi le premier service postal des futurs États-Unis. Les responsables créèrent un système de relais aux seize kilomètres, la distance maximale qu'un cheval pouvait parcourir au grand galop : des hommes chevauchant, enjambant prairies, plaines, déserts et montagnes, transportant le courrier.

Je l'interrompis, car il allait trop vite pour moi.

— Attendez, mais la distance paraît énorme.

— Oui, je ne vous le fais pas dire !

— Et les chevaux… ?

— Il y avait un cheval frais à chaque relais, mais le même cavalier restait en selle pendant trois jours. Imaginez dans quel état il arrivait. Parfois, d'ailleurs, il n'arrivait pas : les serpents, les Indiens, ou le sommeil qui le faisaient tomber de selle et alors, il se rompait le cou.

Il s'interrompît quelques instants, me donnant le temps d'apprivoiser ces informations, puis il reprit :

— En 1861, le conflit éclata et Bill, âgé de quinze ans, s'engagea comme soldat, puis devint éclaireur et participa aux guerres indiennes en 1862. Les Sioux le surnommèrent Pahaska[1]. C'était un aventurier, de ceux qui ont bâti le Far West, un fin tireur, un bagarreur et un cavalier hors pair. Lorsque la compagnie des chemins de fer Kansas Pacific opéra dans l'ouest des

---

1. Ce terme signifie «cheveux longs». Comme la plupart des scouts de l'Ouest américain du XIXᵉ siècle, le colonel William Frederick Cody portait les cheveux longs.

États-Unis, Bill fut chargé de ravitailler les employés en viande de... buffalos. Pardon, je crois que l'on dit bisons en français.

— Ne jouez pas au modeste, votre français est littéralement incroyable !

Pour la première fois, j'étais bluffée parce que je rencontrais quelqu'un qui jonglait de cette manière entre deux langues, presque comme moi. Il me décrocha un sourire ravageur et m'envoya un autre clin d'œil. Je pris une de mes mèches du bout de mon index.

— La légende veut qu'un jour il batte en duel Comstock, un tireur d'élite très connu, en abattant soixante-neuf bisons contre quarante-huit, en une seule journée !

— Berk ! J'espère qu'ils les ont donnés aux pauvres.

— Même pas, ils les ont laissés pourrir sur place, Mademoiselle je mets mon grain de sel partout !

Cette fois-ci, ce fut mon tour de sourire. Il reprit son récit.

— Pourtant, son destin, il le rencontra un jour sous les traits de l'écrivain et aventurier Ned Buntline, dont la vie extraordinairement romanesque n'a rien à envier à celle de ses personnages. Il s'enticha de Bill, le trouvant particulièrement séduisant et charismatique, comme tous les autres Cody, sans exception…

— Là, vous vous avancez un peu, il me semble.

Il fit semblant de ne pas m'entendre.

— Celui-ci devint une figure récurrente de ses publications, des épisodes basés sur des faits réels des aventures de Cody, diffusés largement dans des journaux qui se vendaient aux coins des rues pour quelques sous. Les lecteurs raffolèrent du personnage de chasseur et d'éclaireur. Buffalo Bill était né. Buntline écrivit une pièce de théâtre pour lui, dans laquelle il jouait son propre rôle et le déclic se produisit là. De 1882 à 1912, il diri-gea ni plus ni moins le spectacle le plus populaire du monde : le *Buffalo Bill's Wild West Show*. Le chef sioux Sitting Bull y participa. Même les Français l'acclamèrent. Trois millions de spectateurs le virent sous la tour Eiffel. Enfin, c'était avant que les bottes nazies martèlent le sol parisien. Voilà, Bout'ch, vous savez presque tout. Maintenant, un film est en préparation, un projet du réalisateur William Wellman. Bill sera joué par Joel McCrea et sa femme, Luisa, par Maureen O'Hara, la parfaite Jane de Tarzan. C'est vraiment une grande production parce que le studio cherche à faire signer Anthony Quinn pour jouer un rôle de cheyenne.

Il se tut, manifestement très satisfait de lui-même.

— Et on parle de moi à cause de pots de glace : allez com-prendre la nature humaine, ironisai-je. Vous êtes sûr que vous n'êtes pas en train de vous moquer de moi?

— Parole d'éclaireur, fanfaronna-t-il, son index et son majeur réunis en un signe vaguement indien.

— Je suppose que vous êtes très fier malgré tout de porter un nom pareil, vous auriez pu tomber sur bien pire.

— Maintenant que je suis adulte oui, mais, enfant, j'ai pas-sé des moments difficiles. Les gamins peuvent être cruels, vous savez. Il se trouve que certains ne voulaient pas jouer simple-ment aux cow-boys et aux Indiens, mais prouver qu'ils étaient capables de donner une raclée à Buffalo Bill. Disons que cela m'a forgé le caractère. C'est à votre tour. Que se cache-t-il der-rière Sarah Ouzari?

Il devait être tard, car la musique n'était plus qu'une sour-dine et les tables autour de nous étaient remplies.

— Rien qu'une petite Juive tunisienne obligée de quitter l'école et de travailler parce que sa mère est morte trop tôt.

Il ne répliqua pas, ce dont je lui sus gré. Il sembla considérer la question pendant un long moment puis il s'enquit, à brûle-pourpoint, me décontenançant complètement :

— Quel est votre point fort dans la vie ?

— Les langues, j'en parle quatre parfaitement, rétorquai-je honnêtement.

Il émit un léger sifflement d'admiration, puis me questionna à nouveau.

— Et votre point faible ?

Il n'y avait plus aucune raison de ne pas répondre ou de me rebiffer.

— J'en vois deux : la cuisine et l'obéissance. Pour le premier, cela peut s'arranger parce que personne ne s'est donné la peine de me montrer. Pour le deuxième… J'obéis, j'y suis bien obligée, mais j'ai horreur de ça et je compte trouver un moyen de m'y soustraire, un jour ou l'autre.

Le hall était maintenant bondé et, du coin de l'œil, j'aperçus Mady et Agnès. Je leur fis signe et elles ne tardèrent pas à nous rejoindre.

— Agnès, Mady, je vous présente Bill Cody. Bill, voici mes amies.

Il échangea avec elles quelques propos, très galamment, et s'excusa rapidement auprès de nous, rejoignant des camarades officiers et me laissant bien plus troublée que je l'aurais voulu.

Autour de nous, l'effervescence devenait palpable. Nous nous dirigeâmes vers la salle de bal, abandonnant sur les tables nos cocktails.

Le compte à rebours allait commencer. Je me surpris à chercher Bill du regard, les couples se tenaient par la taille. L'air était saturé d'émotions intenses. 17, 16, 15, 14…5, 4, 3, 2, 1 : *Happy New Year!!!*

L'*Auld Lang Syne* retentit et Mady, Agnès et moi, nous nous embrassâmes, partageant larmes et espoirs.

Bill, sorti de nulle part, s'inclina et prit mes doigts tremblants qu'il porta à ses lèvres en un baisemain aussi chevaleresque que renversant. Je n'avais jamais rien vécu de semblable et mon visage s'empourpra.

— Bonne année, Bout'ch, déclara-t-il simplement devant mes amies tétanisées, alors que ses yeux bleus me dardalent.

Puis, il disparut dans la cohue. Mady me serra le bras à me l'arracher.

Aïe! Tu es folle, je vais marquer!

— Alors, c'est lui? demanda Agnès d'un air faussement détaché.

— Lui quoi? répondis-je sur le même ton.

— Les glaces, renchérit Mady.

— Je ne sais pas…

J'avais complètement oublié les glaces. Cela ne pouvait pas être lui, j'en étais sûre. Impossible… Enfin, je croyais…

— C'est lui, fit Agnès, une certitude inébranlable dans la voix.

Ce fut la dernière réplique de cette soirée déroutante et la première d'une année prometteuse à plus d'un titre.

10

La voix d'Esther s'éleva dans la pièce silencieuse, en cet après-midi de dimanche que nous passions à La Goulette auprès de ma tante et de mes cousins. J'étais rentrée tard de ma soirée de la Saint-Sylvestre et un chauffeur du service m'avait raccompagnée.

Je titubais entre songe et réalité, car j'avais été réveillée à six heures trente. Ici, des fillettes arabes frappaient tôt aux portes, armées d'une grosse boîte de conserve vide ou d'un sceau, et venaient quémander le restant du dîner de la veille. La chaleur de la journée à venir rendait de toutes les façons risquée la consommation de ces reliefs. Ainsi, nous vidions de bonne grâce nos fonds de casseroles au lieu de les jeter dans les poubelles. Les gens étaient pauvres à en pleurer. Les musulmans encore plus, l'écart entre les riches et les autres étant plus marqué dans leur communauté. Ils exerçaient des petits métiers : ferblantier, ciseleur de cuivre, garbaji[1], kattat lébroudou[2], ou vendeur de jaunes d'œufs. Ces familles recueillaient juste de quoi acheter du thé, achat primordial, du pain et du sucre. La mendicité assurait le reste, partout, ici comme à Tunis.

Le moment rare du conte avait sonné et même les mouches n'auraient pas osé tousser[3], de peur de troubler la perfection de l'instant. Nous flottions en apesanteur, suspendus à ses lèvres.

---

1. Porteur d'eau.
2. La vendeuse de légumes pour le bouillon, à la botte.
3. Expression judéo-arabe.

— Je vais vous conter une histoire de Ch'ha. Des animaux s'y sont glissés. Alors, vous, les petits, vous devrez bien écouter et les mémoriser. À la fin, vous viendrez chacun votre tour me les souffler à l'oreille. Vous gagnerez une petite galette au sucre par bonne réponse.

« Ch'ha était un grand voyageur et, après quelques semaines passées auprès des siens, il avait des fourmis dans les jambes.

Un jour, il décida donc de reprendre son périple. Pour cela, il lui fallait un âne. Voilà pourquoi il se rendit au souk.

Ch'ha, usant de son œil de lynx, eut tôt fait d'en trouver un, petit, gris et dodu, qui ne ressemblait pas trop à une mule, car tout le monde savait qu'une monture têtue pouvait gâcher le plaisir d'une randonnée. Satisfait, il le paya rubis sur l'ongle et s'en retourna vers sa demeure.

Toutefois, sur le chemin, deux voleurs l'attendaient, embusqués sournoisement derrière un bosquet.

À pas de loup, ils se glissèrent derrière le convoi et, tandis que l'un des voleurs détachait le joli petit âne gris, l'autre prenait sa place en plaçant la corde autour de son propre cou.

Ch'ha continua sa route en sifflotant, ne se doutant de rien.

Arrivé à destination, Ch'ha se retourna et… il eut la chair de poule en découvrant ce qu'il prit pour une métamorphose !

— Qu…Qui es-tu ? bégaya-t-il en ouvrant de grands yeux.

— J'ai fait de grosses bêtises, soupira le voleur, ma mère a émis le souhait que je sois changé en âne.

Ch'ha, pleurant des larmes de crocodile, relâcha le voleur. Le lendemain, Ch'ha partit de bonne heure afin de se rendre à nouveau au souk acheter un âne pour son voyage.

146

Alors qu'il empruntait les étroites allées, il vit son joli petit âne gris. Il s'approcha de lui et lui murmura à l'oreille :

— Décidemment! Seulement, j'ai une mémoire d'éléphant, alors... ne compte pas sur moi pour t'acheter!

Les badauds en restèrent muets comme des carpes!

Ch'ha continua son marché et décida que pour faire un grand voyage, il lui fallait de nouvelles chaussures, pas de simples babouches, mais bien des chaussures faites sur mesure. Il se rendit donc chez le marchand.

Mais voilà, cela était plus facile à dire qu'à faire. Le prix était exorbitant et pour s'en justifier, le vendeur expliqua à Ch'ha qu'une paire de chaussures était faite par trois artisans différents. Le tigeur, véritable artiste, découpait le cuir et cousait la paire qui recouvrait le pied. Le cordonnier moulait la tige sur une forme de bois et cousait la semelle. La couture se faisait à la main et n'était pas des plus faciles. Il fallait passer à travers un petit trou, percé avec un petit poinçon, les deux extrémités d'un fil ciré. L'artisan les serrait très fort pour faire se joindre les différentes couches de cuir autour de la semelle. Le fraiseur, à l'aide de ses machines, finissait la semelle.

Ainsi, pour finaliser sa vente, le marchand malin comme un singe dit à Ch'ha sur le ton de la confidence :

— Pour éviter de les user trop vite, fais de grands pas. Si, normalement, tes pas sont de cinquante centimètres et que tu les allonges à un mètre, elles te dureront deux fois plus longtemps.

Ch'ha, ébloui par la pertinence d'un tel raisonnement, s'empressa de les commander. Dès la semaine suivante, il s'en alla chercher sa nouvelle paire de chaussures. Sur le chemin du retour, tout le monde le regardait faire ses grandes enjambées en pensant qu'il avait une araignée au plafond.

Tout à coup, il entendit un grand crac et vit que son pantalon s'était entièrement déchiré.

— Pour économiser des chaussures à soixante-quinze francs, j'ai ruiné une paire de pantalons à deux cents, soupira-t-il.

Enfin, Ch'ha entreprit son voyage et arriva par une belle matinée sur la place d'un charmant village. Il se sentait en verve et se dressa à l'endroit qu'occupent d'habitude les conteurs.

L'effet ne se fit pas attendre et peu à peu la foule se regroupa autour de lui, espérant entendre ce qu'il avait à dire. Il toussa plusieurs fois, car il avait un chat dans la gorge.

— Savez-vous pourquoi je suis ici et ce que j'ai à vous dire ?

— Non, répondit la foule.

— Sachez que je déteste les ignorants et que je ne vous dirai donc rien ! répondit Ch'ha, la voix remplie de colère, montrant qu'il avait un caractère de chien.

Il quitta la place et partit vers l'extérieur de la ville camper pour la nuit. Il commença à se préparer un tajine, qu'il mit sur le feu préparé à l'aide de brindilles bien sèches.

Il avait une faim de loup.

Les braises étaient incandescentes et le ragoût fut bientôt prêt. Après l'avoir retiré de la chaleur, il jeta de l'eau pour éteindre le foyer qui émit un "pschitt". Ch'ha en fut tout retourné, analysant le bruit qu'il venait d'entendre… Puis il mangea et s'endormit.

Le lendemain, il se rendit encore sur la place et la foule s'était réunie en plus grand nombre. Il était maintenant connu comme le loup blanc, car le bruit avait couru qu'un grand sage allait faire une révélation d'importance.

— Savez-vous pourquoi je suis ici et ce que j'ai à vous dire ?

— Oui, répondit cette fois la foule.

— Sachez que je méprise ceux qui pensent tout savoir et que je ne vous dirai donc rien, répondit-il en bâillant comme une huître.

Puis, il partit en courant chez le rabbin du village. Il déboula, en trombe, au moment où le sage retirait son tajine du feu. Il se saisit d'un broc et arrosa le feu qui émit un "pschitt". Le vieil homme, interloqué, le regarda comme s'il avait à faire à un fou.

— Dites-moi, noble sage, pouvez-vous me dire qui de l'eau ou du feu émet un tel bruit ? demanda Ch'ha.

Le vieil homme s'approcha et assena à Ch'ha une gifle retentissante qui devint rouge comme une écrevisse.

— Peux-tu me dire qui de ma main ou de ta joue a produit le bruit que nous venons d'entendre ?

Tout penaud, Ch'ha retourna à son campement et médita toute la nuit en regardant le Ciel.

Pour le troisième jour consécutif, il se rendit sur la place du village où une foule encore plus nombreuse l'attendait.

— Alors, maintenant, dit-il, savez-vous pourquoi je suis ici et ce que j'ai à vous dire ?

La foule était partagée et des OUI et NON fusaient de toutes parts.

— Fort bien, répondit Ch'ha, en levant les deux mains pour ramener le calme et en couvrant l'assistance d'un regard de gazelle. Et bien, que ceux qui le savent le disent à ceux qui ne le savent pas!

Ainsi dit, il s'en fut chez le rabbin.

Cette fois-ci, il frappa à la porte et le sage lui ouvrit.

— Dites-moi ce que l'on fait de la vieille lune quand la nouvelle apparaît?

— On la coupe en morceaux qui deviennent quarante étoiles, lui répondit le rabbin, un sourire éclairant son visage.

Ch'ha, le cœur en paix, la tête dans les nuages, s'en fut vers son campement, dormit comme un loir et, au matin reprit son chemin vers de nouvelles aventures, gai comme un pinson. »

— Voyez, ces histoires sont simples en apparence et beaucoup plus complexes quand on y pense. Ch'ha est-il si intelligent qu'il en devient bête, ou si bête qu'il finit par dire des choses intelligentes? Quoi qu'il en soit, ces contes appartiennent au folklore traditionnel.

Esther avait beaucoup parlé et elle se tut. Elle sortit de dessous la chaise longue un panier rempli de galettes sucrées et la file des enfants s'enroula autour d'elle.

Nous passions ce dimanche du week-end de Nouvel An chez une de mes tantes, à la Goulette. En regardant Esther du coin de l'œil caresser la joue de ma petite cousine de cinq ans, j'éprouvai une peine immense pour ma sœur qui ne connaîtrait jamais le bonheur d'enfanter. Elle y avait renoncé pour remplacer ma mère au foyer. Depuis huit mois qu'elle était morte, l'évidence s'imposait claire comme de l'eau de roche en ce matin triste et gris, comme tous les lendemains de fêtes.

Après la soirée d'hier, Agnès et Mady n'avaient pas cessé leur bavardage et leurs spéculations, et j'avais besoin de calme et de m'éloigner de Tunis, car je ne m'entendais pas penser. Cette invitation était vraiment tombée à point. J'étais redevenue la petite Sarah, dont personne ne se souciait.

Bill paraissait si différent des hommes que j'avais rencontrés jusqu'à présent. Et puis, ce baisemain consumait encore mes doigts, faisait cogner mon cœur dans ma poitrine. J'étais terrorisée à l'idée de le revoir au bureau, dévastée de seulement imaginer qu'il puisse m'ignorer.

— Sarah, tu veux te promener? Le temps est incroyable pour un mois de janvier. On est gâté! me demanda Germaine, me tirant ainsi de ma rêverie.

— D'accord. L'air frais, c'est toujours agréable.

Nous descendîmes et nous empruntâmes l'avenue principale bordée de palmiers et de ses maisons dont les murs, blanchis à la chaux, s'ornaient de fenêtres bleues.

— Cela fait longtemps que nous n'avons pas eu l'occasion de parler, petite sœur, dit Germaine.

— C'est vrai. La vie est allée si vite ces derniers temps. Il s'est passé tant de choses depuis la mort de maman.

Ma voix était devenue un murmure se fondant avec le remous des vagues de la Méditerranée, tissant un bruit de fond. La mer était bien plus agitée en hiver, et la ville presque déserte.

— Je sais, mais, le plus incroyable, c'est que tout le monde a l'air de s'en sortir, chuchotai-je.

Germaine secoua sa tête et demeura le regard fixé au loin. Je savais qu'elle m'avait entendue.

— Tout le monde, sauf Jules, ajoutai-je. J'ai entendu papa et Esther discuter dans la cuisine la semaine dernière. Ils veulent faire venir oncle Mardoché. Il paraît qu'il boit encore.

— Et Simone? demanda Germaine qui avait toujours admiré son élégance.

— Arrête avec Simone! Elle est aussi coupable que lui, parce qu'elle accepte la situation sans rien dire, aboyai-je méchamment.

— Nous sommes tous complices, ma chérie, soupira doucement Germaine. Chacun de nous, frères et sœurs et tous ensemble, en tant que famille, nous portons la responsabilité de cette situation.

Je n'avais pas vu les choses sous cet angle, cependant je ne compatissais pas comme Germaine.

— Viens, on pousse jusqu'à la jetée, suggérai-je, arrêtons de parler de lui. Il me fait peur.

J'adorais cette ville estivale. En hiver, il était difficile de se rendre compte de l'agitation qui pouvait régner pendant les mois d'été. Ici, tout se fondait en harmonie et participait au folklore coloré qui affichait sa différence. La jetée séparait la Goulette du Vieux-Port, où les pêcheurs déversaient le produit de leur journée, à la criée.

Ses artisans habitaient sur la colline, dans un quartier surnommé la Piccola Sicilia. Ayant fui la Sicile, où la misère sévissait, ils avaient emporté dans leurs valises leurs traditions, leur religion et leur cuisine. Ainsi, les macaronis à la sauce tomate étaient devenus un incontournable des salles à manger tunisiennes, particulièrement le dimanche midi avec de la sole meunière. Les pêcheurs dansaient la tarentelle au son d'un orgue de Barbarie, en pleine rue, et toute la ville assistait à la procession de la *Madona di Tapani*, le 15 août, défilant entre les remparts de Charles Quint, sous les acclamations des trois communautés unies comme les doigts de la main. La commune en elle-même était divisée en trois : la Goulette neuve, la Goulette vieille et la Goulette Casino.

Il y avait des bars partout et les tables débordaient même sur la rue, bloquant le passage aux voitures dont les chauffeurs devaient prendre leur mal en patience. Ces tables étaient parfois monopolisées toute la journée par des consommateurs capables de ne se payer qu'un café et un verre d'eau. Jamais les patrons de ces établissements n'auraient pensé à les chasser.

Les marchands ambulants, surtout, modelaient cette localité en un festin permanent : les petits pains frais à la boutargue, les casse-croûtes tunisiens remplis de thon, de salades cuites, le tout arrosé d'huile, les pistaches, les glibettes[1] et les cacahouètes grillées servies en cornet dans du papier journal, les beignets au miel, les figues juteuses et la coupe de sorgho s'offraient aux promeneurs à toutes heures du jour et jusque très tard dans la nuit. Le revendeur de jasmin, sa chéchia bourgogne de travers, la fleur à l'oreille, criait « Yasmin » à qui voulait l'entendre, en nous frôlant et en laissait derrière lui un parfum enveloppant.

Les restaurants, eux aussi, rivalisaient de délices. *Bichi*, dont le menu complet de poisson garni de frites, d'un œuf poché et d'un gobelet d'harissa faisait courir tout Tunis. Le *Breykagi*, où les bricks étaient confectionnés à partir d'une boule de pâte allongée sur une surface plane et farcie à la demande et les frite. Certes, les vacances à la Goulette, hautes en couleurs et en saveurs, contentaient les plus difficiles. Seuls les cafards volants

---

1. Graines de tournesol séchées, grillées avec très peu d'huile et salées. Le mot glibette signifie « cœur », « pépin » ou « noyau ».

représentaient un réel problème, mais ils étaient balayés par le sirocco, ce vent du Sahara chaud et sec qui, un matin, nous avait offert une rose des sables.

En ce jour d'hiver, l'ambiance changea lorsque nous nous dirigeâmes vers le Bloc, cette jetée où nous pourrions nous asseoir à même les pierres sous le phare, abandonner nos visages aux embruns, sentir les algues de la plage et entendre les vagues mourir à nos pieds. Nous pourrions même apercevoir ce célèbre restaurant-cabaret où Jacob réservait sa table et où, à vingt et une heures pile, les orchestres cubains venus directement de La Havane se produisaient.

Nous étions seules.

— Et toi ? Comment va l'école ?

— Bien, je crois. Émile m'a fait comprendre que ce serait la dernière année. Il va falloir que je travaille et que je rapporte de l'argent à la maison.

Je l'interrogeai du regard.

— Je m'y attendais, considérant la situation. Après tout, tu es plus jeune que moi et pourtant tu travailles déjà. Je n'ai pas de quoi me plaindre, me répondit-elle en levant le menton.

— Et ton rêve d'étudier à Rome la coupe de patrons, insistai-je.

— Les rêves existent pour nous pousser vers l'avant, j'ai bien le temps de partir en Italie. Et puis, regarde autour de toi, nous ne sommes pas des victimes. Nos petites voisines musulmanes, elles ne savent même pas compter jusqu'à dix, parce qu'elles ne sont jamais allées à l'école. Elles élèveront des enfants et, pour leurs parents, c'est bien suffisant. Pourtant, en classe, ils disent que les Arabes vont finir par nous jeter dehors.

154

— Et papa, tu sais ce qu'il en pense?

— Il y a longtemps qu'il ne pense plus rien…

Elle marqua une pause, puis reprit son idée là où je l'avais interrompue et l'approfondit.

— Et toi, Sarah, le travail et ces Américains? me lança-t-elle. Je ne voudrais pas que tu t'attaches trop, que tu t'enfonces dans une bulle pour en quitter une autre, la nôtre en l'occurrence.

Je lui répondis très sérieusement.

— Tu sais, les Américains sont des gens comme les autres, ils sont juste des adolescents, comme leur patrie. C'est assez drôle quand j'y pense : le colonel, qui a cinquante ans, se comporte comme un gamin et moi, je réagis comme une grand-mère! Je crois que cela vient du fait qu'ils n'ont pas vraiment souffert, tu vois, je veux dire historiquement. Nous, on possède le malheur dans nos gènes…

Ce fardeau pesait sur mes frêles épaules. Germaine avait raison. Vivre à pleins poumons. Repousser les limites, les interdits. Je rêvais bêtement aux grands espaces du *Poney Express,* aux bisons et aux Indiens parés de plumes chatoyantes. Je pris la main de ma sœur et posai ma tête sur sa poitrine.

De retour au bureau, le lundi 3 janvier 1944, nous nous trouvions, Mady et moi, autour d'Agnès qui nous lisait les dernières dépêches d'une voix voilée par l'émotion. Le général Philippe Leclerc avait passé en revue ses troupes à Temara au Maroc, un protectorat français tout comme la Tunisie. Il s'agissait de la Deuxième division blindée, récemment créée, composée de Français, de Magrébins et d'Espagnols, et entièrement équipée par les Américains. Agnès relut le texte :

J'ai tenu à vous présenter mes vœux en personne pour souligner l'importance des heures que nous allons vivre. L'année 1944 sera l'année de la Libération. Vous aurez votre rôle à jouer, je peux déjà vous en donner l'assurance, mais je ne vous indiquerai ni le lieu, ni la date. N'attachez aucun crédit aux «lanceurs de bobards». La décision qui sera prise, vous l'ignorez; ce dont vous pouvez être sûrs, c'est d'avoir votre place au combat. Alors? Eh bien! De même que, dans une équipe de football, l'incapacité d'un joueur compromet la victoire de l'équipe, de même dans l'armée moderne et en particulier dans une division blindée, chacun doit connaître son métier à fond sous peine de compromettre les efforts de tous, d'ailleurs nous aurons notre récompense. Ceux qui ont libéré Gabès et Tunis ont vécu des heures inoubliables, elles ne sont rien à côté de celles que nous vivrons en délivrant les villes de France. Le général de Gaulle m'a dit, il y a quelques jours, qu'il avait confiance en la 2e DB[1], et j'ai répondu que la division se montrerait digne de cette confiance. Je vous demande de ne pas me donner de démentis. L'objectif que j'ai fixé à ceux qui sont partis du Congo avec moi, il y a trois ans, était

---

1. Unité militaire française créée pendant la Seconde Guerre mondiale par le général Philippe Leclerc.

Strasbourg. Mon vœu pour 1944 est d'atteindre cet objectif[1].

Nous nous regardâmes en silence. L'imminence d'une réalité gigantesque nous rattrapait. La première chose qui me passa par l'esprit fut que Bill allait peut-être partir. Je ne savais pas grand-chose de mon avenir, mais, pour l'instant, il se déclinait au bleu azreq de ses yeux.

---

1. Extrait du *Journal de guerre 1939-1945 - Témoignage de l'aide de camp du général Leclerc de Hauteclocque*, de Christian Girard.

11

Le mois de janvier touchait à sa fin et je n'avais pas revu
Bill. C'était à croire qu'il était le fruit de mon imagination.
J'avais erré dans les couloirs, la première semaine, à la recherche
de sa haute stature. Personne. Je me demandais s'il n'avait pas
été appelé sur quelque mission ou si mes pressentiments et mes
peurs nous avaient porté la poisse, à lui comme à moi.

Malgré tout, j'avais essayé de me concentrer sur le travail qui s'amoncelait, car l'actualité nous laissait peu de répit.
Le 12 janvier, Winston Churchill et le général de Gaulle s'étaient
rencontrés à Marrakech. Des photos d'une foule formant le V
de la victoire avec l'index et le majeur étaient parues dans la
presse tunisoise. Le 22, les Alliés avaient débarqué à Anzio, près
de Rome, et le 24, Eisenhower avait été nommé commandant
suprême des Forces en Europe. Les Américains étaient devenus
plus suffisants que d'habitude. Ils vous regardaient de haut. Je
craignais qu'une fois la guerre terminée, nous redevenions des
autochtones bigarrés et folkloriques. Après tout, ce n'était pas
si grave par rapport aux transmissions des radios de l'Axe que
nous captions. Le 21 janvier 1944, le mufti Haj Amin avait déclaré lors d'une visite à une unité de combattants musulmans
de la Division de Waffen-SS « Handschar » :

> Le Reich mène le combat contre les mêmes
> ennemis, ceux qui ont spolié les musulmans de
> leurs pays et anéanti leur foi religieuse, en Asie,
> en Afrique et en Europe. Le national-socialisme
> allemand lutte contre les Juifs partout dans

159

le monde. Comme le dit le Coran : « Tu apprendras que les Juifs sont les pires ennemis des musulmans. » Les principes de l'islam et du nazisme sont très proches, en particulier dans leur affirmation des valeurs du combat et de la fraternité d'armes, dans la prééminence du rôle du chef, dans l'idéal d'Ordre. Voilà ce qui rapproche étroitement nos valeurs et facilite la coopération [1].

Tout le bureau en avait pris connaissance, me réconfortant du regard, m'assurant de leur soutien. Non, vraiment, même si les Américains n'étaient pas parfaits, je ne voulais pas penser à leur départ de Tunis. Cette ville ne pourrait plus se passer d'eux, j'avais besoin d'eux.

J'étais en colère, plus contre moi que contre Bill. Il avait suffi d'une soirée pour que je m'imagine n'importe quoi, que je baisse ma garde. Je me décevais. Je me croyais plus forte et la tête mieux accrochée sur mes épaules. Pourtant, j'avais décerné de la sincérité au fond de ses yeux. Balivernes, me disais-je,

---

[1]. « Grand Mufti de Jérusalem, leader arabo-musulman ayant déclaré la guerre aux Juifs dès la fin des années 1920. Installé à Berlin en novembre 1941, il s'est employé à donner l'exemple d'une collaboration arabo-musulmane active à la guerre nazie contre les Juifs. Le 1er mars 1944, dans son émission retransmise par la radio nazie de Berlin, al-Husseini, désireux d'étendre au Moyen-Orient les exterminations de masse conduites par les nazis, incitait les Arabes au meurtre des Juifs au nom d'Allah. » (Extrait de la préface de P.-A. Taguieff à l'ouvrage de Matthias Küntzel, *Jihad et haine des Juifs*. Voir le site de l'UPJF : www.upjf.org)

tout ceci à cause des filles qui n'arrêtaient pas de me harceler avec ces pots de glace encore et toujours là à mon arrivée au bureau, me prouvant que ma rencontre avec Bill n'était qu'un simple concours de circonstances. J'avais peut-être affaire à un maniaque?

Je ne comprenais pas pourquoi Agnès ne se rangeait pas à mon avis devant tant de clarté. Curieusement, elle se montrait plus circonspecte et semait le doute dans mon esprit, ce que je haïssais. Elle se contentait d'émettre de petits claquements de langue lorsque je lui posais mes sempiternelles questions. En effet, le babillage intarissable de mes amies depuis le début de cette aventure avait fait place à mon bavardage intempestif. N'y tenant plus, j'avais fini par demander à Agnès de se renseigner discrètement à son sujet et son silence en disait long. La réponse devait être embarrassante, d'une manière ou d'une autre.

En plus, mon anniversaire se profilait dans un mois et demi exactement, et je sentais autour de moi une agitation fébrile, des messes basses, des chuchotements qui avaient le don de m'horripiler. Mes amies semblaient décidées à transformer l'événement en une affaire d'État. Je n'osai pas leur dire que je n'avais jamais soufflé une bougie ni mangé une part de gâteau, de peur d'enflammer leur hystérie. Mes nerfs étaient mis à dure épreuve.

J'étais déterminée à prendre sur moi, or, ce matin-là, alors que j'arrivais au bureau, elles m'accueillirent avec effusion et m'entraînèrent à part.

Une fois parvenue dans la réserve, à l'abri des oreilles indiscrètes, je haussai les sourcils, croisai les bras sur ma poitrine, fin prête à entendre le pire.

— Sarah, écoute-nous. Depuis plusieurs jours, nous nous cassons la tête, Agnès et moi, pour te trouver le parfait cadeau d'anniversaire. Seize ans, c'est quelque chose! débuta solennellement Mady.

— Oui... alors, renchérit Agnès qui ménageait son effet, j'ai fait jouer mes relations et j'ai obtenu... qu'une certaine personne de mon staff, en l'occurrence toi, passe son permis de conduire, dans l'intérêt du service, bien entendu!

Sa voix s'était perchée dans les aigus et Mady sautillait en tapant silencieusement ses mains l'une contre l'autre, mettant en péril l'équilibre précaire de son chignon. Mes deux amies se turent et épièrent ma réaction. Je demeurais muette. Je ne savais pas quoi répondre.

— On ne peut pas dire que la reconnaissance t'étouffe, siffla Agnès entre ses dents, visiblement déçue par mon attitude.

— Merci beaucoup, bredouillai-je à la hâte, évidemment, je ne m'y attendais pas! Enfin, pas à ça... Pourquoi?

Je la regardais, hébétée par son anticonformisme. Mon honnêteté, comme d'habitude, plut à Agnès, qui me rétorqua :

— Chérie, l'indépendance, voilà pourquoi! Elle se conquiert rouge aux lèvres et volant entre les mains.

— Je croyais que c'était la fleur au fusil.

Je levai les yeux vers Agnès, qui avait croisé les bras sur sa poitrine et dont la posture reflétait une détermination inébranlable. Si conduire je devais, conduire je ferais.

— Tu sais, je ne connais pas une seule femme qui sache conduire le moindre moyen de locomotion, même pas une bicyclette, dis-je, et certains hommes de ma famille n'échappent pas à cette constatation d'ailleurs.

— Faux, tu nous connais, Mady et moi, répondit Agnès du tac au tac.

Mady prit un air gêné.

— Mon père a insisté, ma mère était contre. J'ai un peu peur… Seulement…

— Ça va, ça va. Sarah ne craint rien, elle, n'est-ce pas ? coupa nerveusement ma chef.

Il n'était pas question que quiconque lui gâche son cadeau.

— Techniquement, de rien, sauf de Bou Saadié, répondis-je plus pour moi que pour mon auditoire.

— Quoi ? lancèrent mes amies dans un parfait accord.

— C'est un homme, le visage couvert d'un masque d'ébène, vêtu de noir, avec des queues de lapin accrochées à sa taille. Il danse le stambali[1] dans les rues, en jouant des castagnettes et en tournant sur lui-même. Ses yeux terrifiants vous poursuivent. C'est la version des quartiers pauvres tunisois du Père Fouettard. J'en tremble depuis mon enfance.

— Si ce n'est que ça, je peux te promettre qu'il ne sera pas ton moniteur, renchérit Agnès. Tu commences jeudi, à quatorze heures. Présente-toi à la porte arrière, celle qui donne sur les quais de chargement.

Puis, elle pivota, entraînant Mady par le coude. Le bruit de ses escarpins sur le sol dallé du couloir m'imposa le silence.

Je m'en fus moi aussi vers mes occupations. Toute la fin de semaine, je ruminai, incapable de me confier à quiconque

---

1. Danse extatique accompagnée de musique pour chasser les mauvais esprits.

à la maison, pas même à Germaine. Une telle nouvelle révolutionnaire aurait abouti à l'interdiction de continuer à travailler. Donc, je me taisais, rongée par le remords et la honte engendrés par le mensonge.

Heureusement, ce jeudi 3 février 1944 arriva bien vite. Je m'étais levée groggy après une nuit agitée. Je m'étais tournée et retournée dans mon lit à la fois réticente et impatiente à l'idée de savourer mon cadeau d'anniversaire. J'avais disposé de quelques jours pour essayer de m'habituer à l'idée de mes extravagantes amies. J'avais pu également décomposer et analyser la chance qui m'était offerte : si conduire n'avait jamais représenté une de mes préoccupations, si je ne pensais pas pouvoir m'acheter un jour une voiture, si je n'en voyais pas l'utilité dans une ville comme Tunis, en revanche, aucun savoir ne pouvait nuire. Je n'avais même pas l'âge légal de dix-huit ans, mais en temps de guerre et sous l'égide des Forces armées américaines, ceci s'avérait un détail. Je conduirais donc deux ans plus tôt que mes compatriotes. Enfin, pour ceux qui conduiraient un jour.

Je ressassais toutes ces pensées, une nouvelle fois, tandis que je tournais la poignée de la porte jaune vif portant l'inscription flambante neuve «Accès aux quais de livraison, *Loading Docks Access*», en noir brillant. Le soleil de février tapait fort sur le pare-brise des nombreux véhicules garés le long des plateformes. La réverbération était telle que je dus mettre ma main devant mes yeux pour ne pas risquer de buter sur un obstacle, tant j'étais éblouie.

Je repérai vaguement la seule voiture stationnée dans la cour. À mesure que je me rapprochais, je la distinguais plus nettement, une Jeep Willys MB. Elle était devenue le modèle à tout faire de l'armée américaine et le symbole de leur arrivée à Tunis. Dès que les enfants l'apercevaient au détour d'un virage, ils se précipitaient pour attraper des friandises.

L'ombre de mon instructeur se détachait sur le sol poussiéreux : grande, longue et impressionnante. Il se tenait de dos, à moitié penché sur le tableau de bord, un pied sur la marchette. Il portait un blouson de cuir, de la couleur des chocolats restés trop longtemps dans le placard et arborant des traces blanchâtres.

J'aperçus ses lunettes de soleil, relevées sur sa tête pour l'instant. Je ne doutais pas que, pour voir la route, il ait tôt fait de les remettre. Je n'en possédais pas et j'allais être horriblement gênée, tellement qu'il faudrait peut-être, prudemment, reporter la leçon à un autre jour... Il avait dû entendre mes pas. D'un geste automatique, il cacha ses yeux derrière ses verres fumés et il se retourna.

Mon cœur s'arrêta. Moi aussi. Je me retrouvais plantée au milieu d'une cour, sous un soleil éclaboussant, entourée de divers camions et camionnettes vert kaki. Je ne savais pas pourquoi, mais l'image de notre livre d'histoire du cours primaire s'imposa à moi. Je revis monsieur Zerbib nous expliquer la création du cadran solaire par les Égyptiens. Bill Cody marquait mon heure juste.

— Où étiez-vous passé ? Les mots s'étranglaient dans ma gorge.

Il hésita, lui aussi surpris de me voir ici. Ses lèvres se fendirent d'un large sourire amusé.

— Je suis allé chez moi. Ma mère s'est fait opérer. Je suis rentré hier soir pour apprendre que je devais donner un cours cet après-midi à une personnalité. Comme je suis officier de communication…

Il s'enferrait dans des explications que, maladroitement, j'avais exigées.

— Vous êtes parti sans un mot, depuis un mois. Vous auriez pu laisser un message.

J'étais fâchée, sans aucun droit de l'être.

— J'ai embarqué le dimanche, par cargo. De plus, j'ai pris le temps d'organiser tout le nécessaire…

Il buta sur les mots, se reprit comme s'il avait commis une bévue : « Je n'espérais pas que vous me chercheriez. »

— Je ne vous ai pas cherché! C'est juste que je… je… n'aime pas que l'on se moque de moi!

Je bégayais légèrement, tout en lissant les plis de ma jupe et lui demandant si sa mère se portait bien.

— Oui, merci, beaucoup mieux. C'était une intervention bénigne, mais elle n'a que moi.

Il ôta sa paire de Ray Ban d'une main et me tendit l'autre. Tout l'univers se teinta de bleu.

— *Shall we[1]?*

Il me fit monter à la place du conducteur et s'assit à mes côtés. Je portais un petit tailleur de tweed, lie de vin, avec un chemisier crème, l'une des nouveautés que Germaine avait confectionnées. Notant que je plissais mes yeux, il prit ses lunettes et les glissa à deux mains sur l'arête de mon nez. Il effleura mes cheveux et poussa nonchalamment ma mèche. Tandis qu'il m'expliquait les principes généraux, j'opérais des efforts

---

1. Me feriez-vous l'honneur ?

166

considérables pour rester concentrée. Je fis tourner la clef dans le contact, mes pieds jouèrent avec les pédales et... hop! nous avançâmes.

— On dirait que vous avez fait cela toute votre vie, me complimenta-t-il gentiment.

— Déçu?

Je crânais un peu, comme prise d'euphorie après une grande peur.

— D'être avec vous? Jamais.

Je lui renvoyai un sourire béat et, tandis que mes doigts tortillaient mes cheveux, la voiture cala.

— On ne peut pas conduire et faire autre chose en même temps. Ce n'est vraiment pas grave. On recommence.

Nous nous essayâmes plusieurs fois. Nous restâmes dans la cour. Bill trouvait que, pour une première, il valait mieux ne pas tenter le diable. Ce furent ses paroles. L'heure passa comme un charme.

— Bon. C'est assez pour aujourd'hui.

Il sauta de la voiture et fit le tour pour m'aider à descendre.

— Merci. Alors à demain.

Je levai vers lui un regard transparent d'espoir.

— Dites-moi Bout'ch...

Je sursautai au son de ce surnom si peu familier. Il ignora ma réaction.

— Vous voudriez sortir voir un film avec moi?

— Je ne suis jamais allée au cinéma, je vous l'ai déjà dit.

Mes joues s'enflammaient et je me rassurais en pensant que la chaleur le justifierait. Puis, je songeai que les brunes à la peau mate comme moi rougissent rarement. Allait-il s'en apercevoir ?

— Et bien, disons que c'est un honneur pour moi d'être le témoin de vos premières fois.

— Vous êtes en train de flirter avec moi, n'est-ce pas ?

Il éclata de rire pour toute réponse.

— Alors, c'est d'accord pour ce soir ? Il regarda furtivement sa montre.

Je dus me mettre à réfléchir vite.

— OK, d'accord.

Bill se remit au volant, visiblement très satisfait de lui-même, prêt à partir, quand je ne pus me retenir de lui poser la question qui me hantait depuis un moment.

— Encore un mot, Bill, les glaces… commençai-je.

— Oui, les glaces…

— Vous avez quelque chose à me dire ?

Il fit vrombir le moteur et fort sérieusement, déclara :

— Ici, vous dites : «On n'attrape pas les mouches avec du vinaigre» ; chez nous, c'est la lionne qui ne s'attrape pas dans une toile d'araignée. Je vous imagine plus comme une lionne, une petite lionne, bien sûr.

Il m'envoya un clin d'œil si désarmant que je voulus disparaître, me cacher, comme une petite mouche. En revenant au bureau, je pensais que je devais élaborer un plan. Agnès avait vraiment intérêt à m'aider. Je savais qu'elle avait tout organisé, provoqué cette situation et tramé dans l'ombre ces retrouvailles inespérées.

12

La fin de cet après-midi-là se révéla folle.

J'avais couru me réfugier chez Agnès, après le tour imprévu que ma leçon de conduite avait pris. Ma chef fut, certes, très satisfaite de son stratagème, mais dépassée par la vitesse à laquelle les événements s'emballaient. Puis, d'un geste de la main, elle commença à planifier ma soirée.

— OK, tu peux répéter encore une fois cette histoire de mouches et de lionnes. C'est un vrai zoo ta conversation! me dit-elle alors que je lui redisais la dernière réplique de Bill. Bon, il faut être efficace, car l'heure tourne. Tu vas dire à ta sœur aînée que tu dors chez moi. Attention! Tu le fais d'une manière banale, pas du tout comme on avait planifié le Nouvel An, avec tes frères et leur autorité suprême. Non, très simplement. Ça marchera, elle n'aura pas le temps de réagir. Ensuite, tu prends une robe, un nécessaire de toilette et tu viens à la maison. Il faut juste que Bill sache où te chercher. Envoie une note très courte à son bureau. Cela devrait faire l'affaire.

Elle haletait, comme si elle avait couru un cent mètres. Et moi de l'écouter, j'avais également retenu mon souffle. Mady entra dans le bureau et se figea à la porte, se méprenant sur ce qui se passait entre nous.

— La leçon a mal tourné, n'est-ce pas? Je vous en prie, ce n'est pas la peine de vous mettre dans tous vos états! Votre amitié est trop précieuse…

Mady était bouleversée.

— Sarah, vas-y pendant que je lui explique, m'ordonna Agnès, ce qui eut pour effet de faire paniquer notre amie encore plus.

Je fermai la porte de son bureau derrière moi et me dirigeai vers le mien. Sur une feuille blanche pliée en deux, j'inscrivis de ma plus belle écriture, en prenant garde aux pleins et aux déliés qui m'avaient demandé tant d'application au cours de français :

Bill,

Je serai ce soir chez Agnès Cousergue.

56, rue de Bretagne

Vous pouvez passer m'y prendre vers vingt heures.

Sarah

J'hésitai sur la nécessitée de rajouter Ouzari, puis je décidai que mon prénom ferait très bien l'affaire.

J'attrapai une enveloppe dans mon tiroir et, après l'avoir fermée, j'écrivis :

Bill Cody,

E. V.[1]

Je terminai à la hâte les formulaires de réquisition que j'avais commencée à remplir le matin même et les apportai à Agnès pour qu'elle puisse les signer, puis je me saisis de mon sac et partis affronter Esther.

Tout se déroula comme Agnès l'avait prévu. Je déboulai en trombe les escaliers et, tout en prenant ma sœur par la taille,

---

1. En Ville : formule utilisée lorsqu'une missive n'est pas timbrée.

je lui expliquai que, ce soir, il y avait une soirée de filles chez Agnès, car elle n'avait pas du tout le moral. Comme Esther lui devait toutes ses largesses pour le mariage de Ninon, elle fut donc désolée qu'elle n'aille pas bien et me confia un plateau de gâteaux au miel pour la remonter. Pour sortir ma robe au nez et à la barbe d'Esther, je lui fis croire que je voulais lui montrer le dernier modèle de Germaine, pour la convaincre d'en commander une identique. Ma ruse fonctionna et je partis chez Agnès, non seulement honteuse, mais également la peur au ventre.

Je ne pouvais dire à personne à quel point je craignais de rencontrer une connaissance de ma famille en ville. J'étais en deuil pour plusieurs mois encore. Qui se donnerait la peine de comprendre ma rage de m'extraire de moi ? En effet, si changer d'appartement, de travail, de pays, représentait des difficultés, comment faisait-on pour s'évader de sa peau, pour grandir, pour s'affirmer, et tout cela, en se restant fidèle ? J'avais en tête l'image du papillon. Comment résistait-il à sa transformation ? Pour commencer, sa perception du monde devait être totalement différente : une vision à ras du sol, contrairement à un survol. Je m'imaginais les morceaux déchiquetés de ma grosse coquille éclaboussant les façades des maisons de la rue Sidi Bou Ahdid.

Il était dix-huit heures trente lorsque je tapai à la porte d'Agnès, au deuxième étage. Derrière se trouvaient mes deux amies qui me serrèrent dans leur bras, comme si je revenais d'une mission dans les lignes ennemies.

— Mon Dieu, Sarah, comme c'est exaltant, me susurra Mady.

— Tu as l'air épuisé, il te faut prendre un bain et te détendre, ajouta Agnès.

— Vous ne croyez pas que vous êtes encore en train d'exagérer… dis-je en les regardant tout à tour.

— Et une verveine, une bonne verveine calmante et relaxante, continua Agnès, ignorant délibérément ma remarque.

Je savais que ce n'était pas le moment de leur faire entendre raison, aussi je m'abandonnai aux mains expertes de mes amies.

À dix-neuf heures quarante-cinq, j'étais fin prête et le résultat, je dus en convenir, se révélait plus que satisfaisant. Je portais une robe couleur champagne, dont l'empièement de la jupe de tulle prenait naissance sur les hanches. Le bustier était composé d'un entrelacs de ganses dessinant des losanges, dont chaque croisillon était rehaussé par une bague dorée. Le tulle, quant à lui, remontait jusqu'au cou où il finissait en un discret col rond, comme les emmanchures qui disparaissaient dans le pli de l'aisselle.

J'avais vu Germaine teindre dans la baignoire de la maison le tulle, le jupon et la passementerie à l'aide de thé. Elle en avait tout d'abord laissé infuser une grosse poignée dans une casserole, sur la cuisinière. Après un bon quart d'heure, elle avait passé la décoction, de façon à ôter tous les résidus qui auraient pu faire des taches.

Ensuite, elle avait rempli la bassine d'eau tiède, versé l'infusion, chaussé de longs gants et plongé les différents matériaux, un à un, jusqu'à l'obtention de la nuance désirée. Elle avait touillé les pièces de tissus, attentive à ce qu'elles se meuvent en permanence, s'imprégnant uniformément. Enfin satisfaite, elle avait vidé le contenant, puis rincé le tout à l'eau froide additionnée de gros sel de mer afin de fixer la couleur. Du résultat découlait une subtilité renversante. Tous les composants étaient non seulement harmonisés, mais se fondaient en une seule œuvre. Ma sœur prouvait, jour après jour, que son talent avait quelque chose d'unique.

J'avais également emporté un manteau de mousseline de soie d'un fuchsia magenta profond. Manches trois quarts, col châle, il offrait avec la nuance grège un contraste divin. Mes cheveux furent bouclés et retenus par un très fin ruban doré rappelant les incrustations de la robe, les chaussures et le petit sac que je portais au poignet. J'étais fin prête. Mes amies se reculèrent pour juger de l'ensemble et je pus lire dans leur regard de l'admiration, de la fierté et de l'amour.

— S'il n'est pas content, envoie-le balader, me dit Agnès.

Nous entendîmes un klaxon sous les fenêtres du salon qui nous fit sursauter.

— Allez vérifier si c'est lui, suppliai-je nerveusement.

Mady écarta le voilage en dentelle qui se drapait autour du châssis, cachant ainsi le croisillon de bois foncé à la française. Elle aperçut Bill, debout, près de la voiture.

Mady se mit à suffoquer, moulinant l'air avec ses mains.

— Sarah, il a une Packard… Victoria… décapotable… prune…

Elle s'arrêta nette, voyant nos regards ahuris.

— Quoi ? Je suis I-ta-lienne !

Agnès me poussa gentiment vers l'entrée, d'une tape dans le dos. Quand Bill m'entrevit, la stupéfaction se lut sur son visage, puis l'admiration s'étala comme sur un champ brusquement inondé de lumière.

— Wow! fut son seul commentaire.

— Vous êtes pas mal non plus.

Il portait un complet gris tourterelle, une chemise blanche et une cravate bleue comme ses yeux. Je remarquai seulement à cet instant qu'il était châtain clair. Ses cheveux avaient dû éclaircir sous le soleil tunisien. Quelques mèches d'un blond chaud avaient élu domicile dans sa tignasse épaisse qui, sans la coupe réglementaire, devait être rebelle. J'en aurais mis ma main au feu.

— Trop aimable, répondit-il, en m'ouvrant la portière.

Il attendit patiemment que je fasse rentrer mon jupon à l'intérieur et referma le battant, presque sans aucun bruit.

— On va manger d'abord ou après? me demanda-t-il.

— Comme vous voulez… Je suppose que vous avez faim.

Il me regarda et prit un air très sérieux pour me répondre.

— Voici le programme de cette soirée. Nous allons faire très exactement tout ce que vous voudrez. Pas d'obligation, de pression et encore moins d'obéissance.

Il se souvenait de notre première conversation. Je hochai de la tête.

— Je serai incapable d'avaler une bouchée maintenant. Je suis si nerveuse que je me salirai sûrement!

— Ce qui serait vraiment dommage, se moqua-t-il en réprimant un sourire.

Nous démarrèrent et je ne pus m'empêcher de toucher du bout des doigts le tableau de bord en bois de rose laqué, le cuir boudiné des sièges, couleur beurre-frais, ainsi que les parements des portes.

— À qui est cette superbe voiture? me surpris-je à dire.

174

— Disons que s'appeler Cody n'a pas que des inconvénients. Alors, vous aimez les belles américaines?

— Je ne sais pas. En tous les cas, celle-ci me plaît.

— J'espère que le film que j'ai choisi vous enchantera également. C'est *Pour qui sonne le glas*. J'ai une grande responsabilité vous savez! Imaginez que vous le détestiez et que vous décidiez que le cinéma est une horrible invention et que vous n'y remettrez jamais les pieds de votre vie : ce sera de ma faute! De surcroît, il se joue juste en français, vous n'entendrez pas la vraie voix de Gary Cooper, ni celle d'Ingrid Bergman. Or, c'est un péché... de lèse... star... Non, vraiment.

Je le regardai, mi-sérieuse, mi-moqueuse. Je m'aperçus qu'il pensait chaque mot de ce qu'il venait de dire. Cette projection revêtait une importance indéniable à ses yeux. Il se gara facilement, en plein centre-ville, sur l'avenue Jules Ferry. Elle était animée, comme à l'accoutumée. Je balayais rapidement du regard ce trottoir où toutes les langues de mon pays résonnaient, craignant de rencontrer un visage connu, un sourire qui pourrait confier mon escapade à l'un de mes frères. Rien, cependant, ne se profila au milieu de cette foule bigarrée.

L'avenue Jules Ferry constituait l'artère névralgique de la ville et le rendez-vous de tous les noctambules. Le pavé fleurissait de petits métiers comme les cireurs de chaussures, les fleuristes et les vendeurs de journaux. Les piétons rivalisaient d'élégance et se pressaient à l'entrée des cafés célèbres comme le café *Casino*, le *Café de Paris* ou *La Rotonde*. La gare du TGM déversait sur le bitume ses voyageurs qui venaient travailler dans les grands cabinets d'avocats ou pour le Comptoir national d'escompte de Paris, ouvert au lendemain du protectorat, tandis que les cochers s'alignaient sur les bordures. Ce soir, la rue était toujours aussi belle, même si elle arborait une vilaine cicatrice en son cœur, le Théâtre du Palmarium ayant été détruit par les bombardements au mois de février 1943. Rien ne pouvait défigurer Tunis, tant elle était splendide. Les cinémas, l'ABC et le Mondial, le Colisée et le Capitole, occupaient un pâté de maisons au complet. Ils se tenaient l'un à côté de l'autre et rivalisaient de beauté, la nuit venue. Le soleil était couché et les lettres peintes, gigantesques, nous dominaient maintenant de toute leur hauteur.

Bill contourna l'automobile pour m'ouvrir la porte qu'il maintint, le temps que je ramasse le tulle de mon jupon. Puis, il me tendit la main pour m'aider à sortir. Un attroupement se forma instantanément autour de la voiture. Bill sortit un gros billet de sa poche et repéra un jeune Arabe, qu'il pointa du doigt.

— Toi, là-bas, approche. Tu vois ce billet, prends-le. Tu gagneras le même à ma sortie du cinéma, si tu veilles sur cette voiture comme à la prunelle de tes yeux. D'accord?

Le visage du garçon se fendit d'un sourire qui découvrit une dentition immense et parfaite, puis il enfourna le billet dans sa poche, tout en se postant devant la voiture, les bras croisés comme un eunuque de harem.

— Dans lequel allons-nous? demandai-je, cherchant plus à meubler la conversation qu'autre chose.

— Nous allons suivre la direction, dit-il en pointant du doigt l'enseigne de l'ABC, perpendiculaire à l'immeuble, les lettres alignées les unes sur les autres, en une colonne terminée par la pointe d'une flèche.

— J'aurais dû m'en douter. On peut soustraire Bill aux Indiens, mais pas les Indiens à Bill.

176

Je regrettai presque instantanément ma plaisanterie de peur qu'il ne l'interprète mal. Son éclat de rire me rassura.

— Touché, Bout'ch.

Ah la la! Ce surnom. C'était de bonne guerre. Nous nous dirigeâmes vers l'ABC. Un gigantesque panneau, composé de trois pièces, surmontait l'entrée. Il était peint à la main et représentait une vision dramatique du film. Gary Cooper et Ingrid Bergman se détachaient sur la moitié de l'affiche. Leurs visages, baignés de la lumière d'un feu provenant de l'explosion d'un pont provoquée par trois résistants armés, se touchaient amoureusement. Puis le titre, les noms des acteurs et le mot Technicolor s'étalaient, ne laissant, chose assez choquante, que peu de place à Ernest Hemingway.

— Cette affiche est mal conçue. Elle en dévoile trop. En plus, regardez comment ils traitent Hemingway!

— Vous êtes absolument incroyable, fut sa seule réponse.

— Puisque vous le dites, répondis-je, minaudant un peu comme une coquette que je n'étais pas.

Bill entoura mes épaules de ses bras protecteurs, formant un bouclier infranchissable, sans me toucher pourtant. Je me sentais délicate, précieuse et importante pour la toute première fois de ma vie. Je n'avais jamais vu aucun garçon se comporter comme cela avec une fille. Les hommes de ma famille étaient plutôt du genre à laisser leur épouse porter les couffins de courses ou, éventuellement, à payer quelqu'un pour le faire. Leur prestige les tenait loin des femmes, vivant dans des espaces réservés, mangeant à des tables différentes, dormant certains jours du mois dans des lits séparés. Il fallait rester entre mâles pour être un homme.

En entrant, Bill m'expliqua que les deux propriétaires des cinémas s'étaient entendus pour que leurs projections débutent en alternance. De cette façon, tout le monde pouvait voir un film, à dix-huit, dix-neuf, vingt ou vingt et une heures, et la concurrence se vivait mieux.

Bill prit les billets au guichet, à une jeune femme trop maquillée dont les cheveux laqués crissaient comme du plastique lorsqu'elle penchait la tête. Elle se pensait à son avantage et tendit les tickets à Bill en effectuant une moue avec ses lèvres et en susurrant un « tank you veri mutch » assez pathétique. Nous entrâmes dans la salle.

— Ça sent le désinfectant, murmurai-je à mon cavalier.

— J'espère bien, approuva-t-il.

Nous nous assîmes au milieu de la salle et de la rangée de fauteuils. Devant nous, un rideau grenat cachait l'écran. Une musique classique jouait en sourdine. Enfin, les pans s'entrouvrirent et la salle fut plongée dans le noir. Les *Actualités françaises* ouvrirent le programme. Nous eûmes droit à celles du 4 février 1944. Tout nous parvenait avec quelques jours de retard. En noir et blanc, les mots *La vie nationale* envahirent l'écran. La voix nasillarde nous présenta Philippe Henriot, secrétaire d'État à la propagande qui, à Lille, vantait les mérites du maréchal Pétain et évoquait les traîtres à Londres ou à Alger.

— C'est révoltant, murmura Bill à mon oreille, c'est de la désinformation. Ils contrôlent la presse et c'est une grande première en temps de guerre. Il est évident qu'il faudra compter avec l'avancement de la science à l'avenir.

Ainsi, les nouvelles étaient censurées et ne dévoilaient rien du climat en France. On nous présenta même les clowns qui avaient remplacé le jury du prix Goncourt, le vrai ayant refusé de siéger. L'effet miroir me frappa. La suite du documentaire se révéla dans la même veine. Puis, l'écran s'obscurcit avant de laisser place à un dessin animé. Bill murmura à mon oreille :

— Vous connaissez Walt Disney, le créateur de *Blanche-Neige*?

— J'en ai entendu parler à l'école, répondis-je honnêtement, parce qu'il a gagné un prix et que Shirley Temple le lui a remis. On m'a toujours comparée à elle, à cause de mes boucles, et le fait que je suis... petite... enfin, vous comprenez...

— Hum, je crois, me dit-il avec un sourire sans ironie. Walt Disney a gagné un oscar et il a sorti d'autres films d'animation : *Pinocchio, Fantasia, Dumbo, Bambi*, mais surtout *Der Fueher's Face*. J'ai assisté à sa première le 1er janvier de l'année dernière, alors que je me trouvais encore chez moi. Franchement, c'est tout un choc de voir Donald Duck porter l'uniforme nazi, même si on sait qu'il sert une propagande antinazie. Il déjeune mal, s'épuise dans une usine d'armement, et s'enrôle dans une fanfare. Il y a une chanson, *Nutziland*, vous saisissez le jeu de mots : natzi... nuts... «fou» en anglais. Bref, Martin Block, un animateur de radio new-yorkais, a offert le disque à tout auditeur qui achetait pour trente dollars de bons de guerre. Le soir même, dix mille souscriptions ont été enregistrées... Incroyable, non?

Je devais le regarder d'une drôle de façon, parce qu'il parut embarrassé.

— Excusez-moi... Bienvenue dans mon univers, ma passion : l'information, le cinéma, les moyens de communication, les livres aussi... un peu moins les livres... mais paradoxalement l'écriture. J'ai l'air… barge. Est-ce que je parle comme les jeunes à la mode ?

— Je suis mal placée pour parler de mode, mais non, vous n'avez pas du tout l'air d'être barge, au contraire !

Nous nous tûmes alors que le film commençait. Un roman d'amour et de mort. Finalement, n'était-ce pas la même chose ? Aimer, vraiment, n'était-ce pas mourir un peu ? Dans les langues latines, ces deux mots s'étreignaient, se dissociant de quelques lettres, se fondant dans une prononciation floue. En anglais, ils sonnaient complètement différemment. Une histoire de guerre. La guerre qui exacerbait toutes les émotions et conférait à la vie un sentiment d'urgence.

Durant toute la projection, je sentis le regard de Bill sur moi. Il me regarda bien plus qu'il ne fixa l'écran. Je ne me retournais pas, ne désirant rien perdre de ce qui se déroulait sur la toile, mais, surtout, je ne voulais pas le confondre, le capturer… en flagrant délit.

The End.

Le rideau bruissa en se fermant. Nos voisins de rangées avaient déjà quitté leur fauteuil, mais aucun de nous n'esquissa le moindre geste pour partir. Il me regardait et, cette fois, je le regardais aussi.

— Alors, vous en pensez quoi ? me questionna-t-il.

— Que je vais adorer le cinéma !

— Je n'en ai jamais douté. Et, le film en lui-même ? insista-t-il.

Je lui expliquai ma théorie sur la mort et l'amour et j'ajoutai :

— Vous vous souvenez de l'affiche à l'entrée, baignée de rouge. C'est une couleur compliquée. Elle peut suggérer la mort ou le désir.

Il parut vraiment interloqué et renchérit au bout de quelques secondes.

— Vous pensez que les anglophones aiment moins?

— Disons qu'il ne s'agit que d'une pure théorie, mais peut-être aiment-ils avec moins de passion.

J'avais dosé l'inflexion de ma voix, ne voulant pas le peiner.

— Je vous prouverai le contraire, articula-t-il si vite que je ne fus même pas certaine de l'avoir entendu. Je n'arrive pas à croire que vous allez juste avoir seize ans! dit-il en passant sa longue main sur son front.

— Je sais, je m'exprime souvent comme une grand-mère. Vous comprenez, je suis la dernière, j'ai donc vécu entourée d'adultes.

— Vous étiez proche de votre mère? Vous parliez beaucoup avec elle?

Raconter Mamina. Voilà quelque chose que je ne m'autorisais pas. Et pourtant, les mots coulèrent tout seuls, naturellement.

— Je l'adorais. Comment vous expliquer? Elle n'avait pas de temps à me consacrer. Puis, elle est tombée malade. De plus, elle s'épanchait très peu. Je peux dire que j'ai été élevée dans le silence, mais avec beaucoup d'amour. Alors, les choses prennent une tout autre perspective. On observe tout... les gens, on écoute... beaucoup. Les quelques paroles de ma mère sont gravées en moi, à tout jamais.

— Elles sont votre évangile.

— Tout à fait.

— Je crois que nous devrions y aller, dit Bill en souriant, espérons que la voiture est intacte.

— Il n'y a aucun risque.

Je me levai et, dans un geste très spontané, je lui tendis la main. Il la saisit et nous sortîmes de la salle.

— Bill, vous ne croyez pas que l'on pourrait se tutoyer ?

— Avec plaisir, Bout'ch, avec plaisir.

Il cligna de l'œil et je fus éblouie, non pas par les lumières émanant des restaurants qui éclairaient crûment le trottoir que nous foulions, mais par lui.

La voiture se trouvait là où nous l'avions laissée et notre gardien ne semblait pas avoir bougé d'un pouce. Bill lui tendit le double de ce qu'il avait promis et le garçon montra ses larges dents.

Bill m'ouvrit la porte, fit le tour et se mit au volant.

— Où veux-tu manger ? me demanda-t-il.

— Cela dépend de l'étendue de ta faim et de ton goût du risque, répondis-je, tout en cherchant une idée originale.

— Les deux sont sans limites.

Il me donnait carte blanche.

— Je vais te faire goûter à une spécialité : les fricassées, des petits pains frits et garnis de thon, d'œufs durs, de tomates et de câpres.

— C'est parti. Où va-t-on ?

Bill semblait plein d'entrain.

— À la Goulette, bien sûr, répondis-je en riant.

— Tu sais que j'y habite, me précisa-t-il, un je-ne-sais-quoi de gêne dans la voix.

— Alors non, sinon tu devras faire l'aller et le retour pour me déposer chez Agnès, me dépêchai-je de dire, je vais trouver autre chose.

Je me contractai, je me redressai sur mon fauteuil et je le vis froncer les sourcils, se méprenant sur ma réticence.

— Ne sois pas ridicule. Ici, les distances sont des mouchoirs de poche. Nous allons à la Goulette.

Le voyage, rapide comme l'éclair et confortable, se déroula comme si nous étions dans un salon. Je savais que je ne risquais pas de croiser mes tantes âgées sur les terrasses de cafés ou devant les étals des marchands ambulants. Elles devaient dormir à poings fermés depuis longtemps déjà.

Cependant, mes mains étaient moites. Je n'étais pas tranquille. Mon monde était minuscule et le risque de buter sur une connaissance au milieu de cette rue animée était élevé, à cause de mes frères. Nous arrivâmes et pûmes déguster les fameux sandwiches frits. Bill me surprit en se servant abondamment de sauce piquante. Il me décrivit son pays, sa famille et son université où il avait appris à parler le français et à jouer un football en cuirasse, casque, plastron, genouillères et coudières. Il ne parut pas se vexer de mon hilarité devant un tel équipement, impensable ici. Comment les gens trouveraient-ils l'argent nécessaire à ce harnachement alors qu'il n'était pas rare d'observer des enfants pieds nus poussant sur la plage une balle faite de chiffons maintenus par une ficelle? Il me raconta la voiture rouge 1940 Oldsmobile G-40 Series 70 de son père, et la passion de sa mère pour Betty Crocker et son livre sur ses cent un biscuits. Il me vanta les pique-niques sur la pelouse le jour de la Fête nationale et les cocardes tricolores pendues aux balcons des façades, puis la lecture de la Déclaration d'indépendance et les « Huzza[1] » de la foule en liesse.

— À propos, quel âge as-tu ?

Je ne m'étais jamais vraiment posé la question avant aujourd'hui.

— Vingt-trois ans.

Il guetta ma réaction.

— Hum, c'est jeune pour être si loin de chez soi.

La soirée tirait à sa fin, et nous devions tous deux travailler le lendemain. Bill me reconduisit. Il descendit de voiture et vint m'ouvrir la porte.

— Merci Bout'ch pour cette soirée.

— Merci à toi. Je n'oublierai jamais avec qui j'ai vu mon premier film au cinéma, renchéris-je.

— Mais, je l'espère bien.

Je m'apprêtai à entrer dans le hall de l'immeuble quand je me retournai et le hélai doucement.

— Bill !

— Oui.

Il releva la tête, surpris.

— Demain, je crois que je me réveillerai d'humeur vanille.

Il me regarda, ses yeux me répondirent, puis il monta dans son beau carrosse.

Je rentrai, emplie de tant d'émotions que dormir m'apparut impossible. De toute façon, les filles étaient réveillées et je

---

1. Il s'agit d'une interjection archaïque anglaise de joie ou d'approbation que la foule crie le jour du 4 juillet à la lecture de la Déclaration d'indépendance.

dus raconter ma soirée plusieurs fois, sous différents aspects et angles. Elles étaient chaque fois restées sans voix. Le bonheur inspirait le silence.

L'arrivée au bureau le lendemain s'effectua à grand renfort de café et de gâteaux sucrés censés nous apporter à toutes l'énergie nécessaire. Comme un fait exprès, Agnès animait une réunion avec des pontes de la division et nous arrivâmes sur place très tôt.

Je pris le temps de m'installer, d'organiser ma journée de travail, tant et si bien que neuf heures avaient sonné lorsque je sentis une présence me masquant le soleil, qui tapait déjà sur les vitres qui entouraient l'espace semi-ouvert de nos bureaux.

Je levai la tête. Et, comme toujours, ses yeux capturèrent mon regard.

— Bonjour Bout'chi, tu es arrivée très tôt. J'espère que tu as bien dormi.

Sa voix s'élevait, douce, réservée, presque timide.

Je n'eus pas le temps de bafouiller une réponse intelligible que des applaudissements retentirent autour de moi. Ma tête se prit à tourner. Mes doigts s'accrochèrent à mes cheveux comme un noyé au bastingage.

De tout le service, que dis-je, de tous les étages arrivaient des collègues qui se pressaient autour de moi, en souriant et en me félicitant. Des visages familiers, d'autres croisés à l'occasion d'un café, d'une réunion ou tout simplement dans les escaliers. Certains m'étaient absolument inconnus.

Je me souvins alors de l'histoire que ma belle-sœur Hannah m'avait contée après le mariage de Ninon. À Tunis, paraît-il, une étrangère se glissait parfois dans les cérémonies. Non pas une vague connaissance, mais une véritable inconnue des deux familles. Il s'agissait d'une vieille dame si courbée qu'elle pouvait passer pour bossue. Elle semblait ne posséder qu'un œil, immense, qui fouillait au plus profond des âmes. Ses lobes d'oreilles fripés s'étiraient jusqu'à la naissance de son cou. Elle portait un foulard rouge sur ses cheveux que l'on devinait clair-semés. Ses grands pieds, chaussés de sandales, paraissaient seuls responsables du fait qu'elle tienne en équilibre.

Elle évoluait au milieu des invités, lançant des *Mazel Tov*[1] et des bénédictions au jeune couple. Parfois, elle s'accrochait au bras d'un des invités, comme pour ne pas tomber, et continuait ensuite son chemin, comme si de rien n'était, laissant le pauvre déstabilisé pour le reste de la soirée. Les rumeurs les plus folles couraient sur elle. Cependant, tous lui servaient les meilleurs morceaux et la traitaient comme une reine lorsqu'elle passait le seuil de la porte. Qu'elle fût une mendiante demandant la tsedaka, c'est-à-dire l'aumône, l'ange de la fécondité ou encore le Destin, elle disparaissait aussi soudainement qu'elle apparaissait et nul n'était assez fou pour la confondre.

Je réagis, me rappelant soudainement que j'étais au travail, que je devais dactylographier la page devant moi, ce qui me demandait toujours un effort quand, croyant que j'hallucinais, je vis que je baignais entourée d'une foule composée de répliques de ce personnage. Mon regard se fraya un chemin, évitant celui des jaloux, des envieux de tout et de n'importe quoi, des curieux, cherchant celui des sincères ou, à la rigueur, des amusés.

---

1. Interjection hébraïque employée en lieu et place de « Félicitations ! »

186

En fait, je cherchais Agnès et Mady. Elles dessinaient mes ba-
lises, délimitaient mon horizon. Je les aperçus enfin, souriantes
et excitées. Aucune d'elles ne me regardait. Elles semblaient
hypnotisées par un objet.

Il se passa de longues secondes avant que je ne réalise que
Bill tenait dans ses mains un pot jaune de glace à la vanille.

13

Ma vie avait pris un tournant complètement différent. Je
me sentais vieillir, changer, vraiment changer et je tremblais à
l'idée que ma famille s'en aperçoive. Pire, je ne voulais pas que
Bill comprenne la nature de mon malaise intérieur. Encore une
fois, j'avais honte d'être moi.

D'aussi loin que je puisse me souvenir, depuis ma plus
tendre enfance en fait, j'avais toujours mis un point d'honneur
à conserver ma vie... étanche. Plus j'y pensais et plus m'apparaissait le caractère schizophrénique de la société juive tunisienne. Ma famille en était la digne représentante, cultivant
les extrêmes et les opposés avec un don inné. La notion même
d'intimité frôlait le péché capital, par conséquent tout s'exécu
tait en catimini, puisque tout était honteux. Les frontières de
l'interdit oscillaient, mouvantes. Tout dépendait de qui faisait
quoi et, surtout, devant qui. Les yeux des gens nous coûtaient
très cher, à nous, Juifs tunisiens!

Ce discours incohérent se révélait difficile à comprendre
pour tous. Il se vivait de l'intérieur et ne s'expliquait pas parce
qu'il était inexplicable. Bill s'était déclaré de la manière la plus
douce et romantique qu'il soit et maintenant, il se tenait auprès
de moi, prévenant et attentif. Il se montrait d'une patience à
toute épreuve, ne demandant rien. Pourtant, je ne pouvais pas
sortir le soir, ni même le dimanche après-midi, et il semblait
l'accepter bien mieux que moi-même.

Nous nous rencontrions autour de la machine à café et nous
partagions nos longs repas du midi, auxquels Agnès et Mady se

joignaient, la plupart du temps. Il était si parfait qu'il semblait trop beau pour être vrai, sorti d'un conte de fées.

Si Bill faisait tout pour rendre ma vie agréable, Agnès avait le don de me la compliquer. Elle me farcissait la tête à la première occasion avec ses idées féministes, déclarait ma situation intolérable, mes frères des tyrans, mes sœurs des esclaves. J'avais essayé une fois de lui faire saisir la subtilité de mon monde. Elle n'avait même pas écouté et m'avait mise dans une colère noire, contre moi. Je savais qu'elle avait raison, qu'il n'y avait pas de compromis possibles et que je devrais me positionner un jour ou l'autre. Je n'avais pour l'instant que louvoyé entre mes idéaux et mes traditions culturelles. Un matin, au bureau, elle attaqua, bille en tête.

— Alors, comment ça va avec Bill ?

— Comme hier, déclarai-je en levant les yeux au ciel, montrant mon exaspération.

— Non, je voudrais un petit peu plus de détails, d'action, vois-tu.

Je voyais très bien et je m'empourprai de la racine de mes cheveux à la pointe de mon doigt de pied.

— Il n'est pas comme cela, c'est un vrai gentleman…

— Il est exactement comme cela, me coupa-t-elle rapidement, et il se lassera de ce petit jeu. Sarah, penses-y, ce n'est pas tous les jours que l'on trouve un garçon comme lui !

Je ne la suivais plus et là, elle m'avait profondément heurtée. Je pris sur moi et fermai sur nous la porte de son bureau.

— Là, Agnès, tu dois t'expliquer. Je ne vois pas ce que je vais gagner à me jeter à son cou. Cela va complètement à l'encontre de toutes tes idées sur la dignité de la femme.

Agnès écrasa sa cigarette et me regarda droit dans les yeux.

— Sarah, je sais bien que, tout ce pays, toi y compris, vous ne voulez pas accepter que nous soyons en guerre, mais c'est la vérité et elle marche main dans la main avec la mort. Et tu n'es pas l'exception qui justifie la règle. Bill est un soldat, peut être moins exposé qu'un autre, mais un soldat quand même. En plus, il ne restera pas éternellement en Tunisie. D'une façon ou d'une autre, il est amené à partir. Partir ma belle! Grandis un peu s'il te plaît. Ça commence à devenir fatigant à la fin.

Sa voix résonnait, coupante, méchante même. Elle baissa la tête dans ces dossiers.

Je me retrouvai dans le couloir sans même me souvenir d'être sortie de la pièce, incapable de reprendre mon souffle, de comprendre ce qui venait de se passer. Dans quelque quarante-huit heures, j'allais fêter mes seize ans. Mes amies m'avaient déjà offert le plus incroyables des cadeaux. Je conduisais maintenant et mes cours de conduite avec Bill se transformaient en escapades amoureuses. Il était peut-être temps pour moi de prendre l'initiative et de proposer quelque chose. J'avais tellement de choses à célébrer, tant de remerciements à prodiguer. Dans mon esprit, l'ébauche d'un plan commença à mûrir. J'allais me montrer insouciante, courir des risques : ne pas me soucier d'être reconnue, d'être percée à jour. J'allais sortir de mon cocon! Il me fallait convaincre Bill, les autres ne représenteraient qu'une formalité.

Je choisis de passer à l'attaque l'après-midi même. Bill et moi avions programmé pour ma leçon de conduite de nous rendre à Nabeul, une ville remarquable extrêmement vieille, et de la visiter. Je pourrais y étaler ma connaissance de mon pays. Bill m'attendait comme d'habitude derrière les quais de livraison. Il faisait exceptionnellement chaud en cette fin de la première semaine de mars.

J'avais décidé, le matin, qu'une couleur orangée douce, en fait pamplemousse, conviendrait parfaitement à cette promenade en bordure des vergers. J'étrennais donc une petite jupe dont l'ourlet était joliment festonné, un chemisier et un cardigan assorti et, comme je n'aimais pas conduire avec des talons, des ballerines blanches.

Bill me prit des mains le foulard que j'avais emporté. Ces escapades en Jeep menaient la vie dure aux chevelures. Il se cassa en deux, plutôt que de se pencher, le noua autour de mon cou et gratifia mon nez d'une pichenette.

— En route, vaillant coursier! lança-t-il sous forme de boutade.

Il était de bonne humeur, comme toujours avec moi. Notre promenade commençait sous les meilleurs auspices. Durant les quelques kilomètres qui séparaient la capitale de Nabeul, nous n'échangeâmes que quelques mots. Bientôt, nous arrivâmes et je ne pus me garer sur la place ovale Hassen Bey, où un grand terre-plein envahissait le centre. En effet, une population disparate grouillait en ce centre stratégique. Tout d'abord les cochers, corporation jouissant d'une suprématie indéniable, si bien qu'ils n'hésitaient pas à jouer du fouet tant avec leurs chevaux qu'avec les chenapans qui grappillaient un tour gratuit; puis les clients du café *Tudor* et de la pharmacie *Jaibi*, sans négliger le marchand de nougat qui attirait une clientèle fidèle.

En arrivant, nous avions pu constater que les vestiges de l'occupation allemande récente balafraient encore le paysage.

192

Il nous avait fallu contourner des fils barbelés autour de la gare pour accéder à la rue principale. Non loin, des tranchées témoignaient des moyens déployés lors des alertes à la bombe. Partout, les traces de projectiles lancés par les Forces alliées, tuant bon nombre de civils, défiguraient la ville.

Je me garai avec peine puis, alors qu'il m'aidait galamment à descendre de voiture, j'expliquai à Bill nos souffrances, nos peurs sous les bombardements de ceux qui devaient nous délivrer, les pluies de tracts des Allemands montant les Arabes contre nous, favorisant la confusion et, forcément, la dénonciation et les traques. Nabeul était un échantillon social représentatif du climat tunisien : il n'y avait pas de quartiers. Les juifs, les musulmans ainsi que les chrétiens vivaient et mouraient les uns à côté des autres, dans une parfaite harmonie.

— Alors, mademoiselle, brossez-moi un portrait de cette ville pittoresque ? me demanda Bill en donnant un ton plus léger à notre conversation.

Je ne me fis pas prier.

— Il y a deux mille quatre cents ans, elle s'appelait Neapolis, ce qui en grec signifie « ville nouvelle ».

Nous sillonnions les rues. L'air était chaud, on se serait cru en plein été. La lumière du soleil illuminait les murs blancs des immeubles. Nous nous tenions par la main. Je n'aurais pas pu vivre un moment si parfait. Nous passâmes devant l'une des deux synagogues. Les rabbins Haddad, Koskas et Chamach se retrouvaient volontiers en ces lieux pour prier. Soudain, j'aperçus un rideau bouger à l'une des fenêtres. Je continuai ma visite guidée, sans m'en préoccuper.

— Nabeul devint le plus ancien comptoir carthaginois. Nous sommes au VIIᵉ siècle av. J.-C. En l'an 148, le général romain Calpurnius Pison lui fait payer son allégeance à Carthage et la détruit. Si elle tomba dans l'oubli pendant plus de cent ans, elle n'a pas pour autant dit son dernier mot et renaît de ses cendres vers le VIIᵉ siècle apr. J.-C., et prospère économiquement. C'est une ville fière, ainsi que ses habitants.

Depuis la rue qui longeait le stade, nous entendions les enfants qui jouaient au football et chantaient à tue-tête une chanson.

— Que disent-ils ?

— Ils chantent l'hymne de leur équipe, cela donne :

Tous les patriotes du monde comme des frères nous
nous aimons,
Patriotes que nous estimons,
La belle au centre, Hadad regarde sa montre
C'est la mi-temps, Moumou offre des citrons.

Nous éclatâmes de rire ensemble.

— Pourquoi des citrons ?

— Ah oui ! je ne t'ai pas encore dit que Nabeul regorge de vergers. Ici, on cultive les agrumes, oranges et citrons. Les citrons doux, lim ahlou[1], sont une rareté, une bénédiction locale. Vraiment, tu peux me croire, un pur produit du paradis.

Il me croyait, je le voyais à sa façon de me regarder. Je babillais, intarissable, heureuse de lui montrer mes connaissances historiques, mes talents de traductrice.

---

1. Il s'agit en fait de bergamotes.

194

— Viens, tu n'as pas vu le meilleur. Nabeul est la ville arti-
sanale par définition. Tu dois connaître ses faïences. Elles sont
splendides.

Je l'entraînai au marché aux poteries. Le souk de Nabeul
s'étendait sur quelques centaines de mètres.

— Cet artisanat s'est enrichi tout au long des âges et des
époques, comme je te l'ai expliqué. Il y a eu la céramique pu-
nique, avec sa lampe à l'huile, la romaine et la byzantine avec
ses amphores, puis la musulmane, d'une grande finesse et multicolore. Tu savais que chaque teinte représente quelque chose.
Le bleu symbolise la mer et le ciel, le blanc la pureté, le jaune
le soleil et le désert, et le vert l'espoir et l'Islam. Le gouvernement français a encouragé le retour aux traditions ancestrales.
Monsieur Jacob Chemla, un al qallaline, c'est-à-dire un potier
remarquable, a fixé la nuance cobalt il y a 30 ans à peine. Mon
père le connaissait très bien. Il est mort, il y a quelques années
à peine.

Nous errions, sans but avoué, au milieu des assiettes, pots
et vases, regardant les artisans, accroupis ou sur une simple
chaise de paille, faire fonctionner à vive allure les tours, pein-
dre les motifs de feuilles entrelacées. Nous nous arrêtâmes devant un présentoir de plats à dessert. J'en pris un entre mes
mains. Son bord extérieur était rehaussé de bleu cobalt, presque
violet, d'où s'étalaient en alternance des taches de jaune et de
vert cernées de fines volutes noires. Elles dansaient une sorte
de ronde joyeuse et prometteuse. Au centre de l'assiette, sur
fond blanc, fleurissait une fleur magique qui donnait naissance
à cinq autres plus modestes, mais tout aussi charmantes. À la
racine se dessinait un cœur, azur.

— Quand je serai chez moi, toute ma vaisselle sera comme ça, lui avouai-je. Tu vois, cette assiette me ressemble, elle est comme moi. J'ai une passion pour les couleurs et ce qu'elles représentent. Et mes racines sont ancestrales et complexes.

Je me confiai à Bill qui m'écoutait attentivement.

— Mon père est peintre... en bâtiment. En fait, c'est surtout un véritable artiste. Il sait mélanger les pigments, obtenir des tons uniques. Il peint également sur des frises les boutons de rose les plus délicats. Il arrive à saisir le moment précis où ils vont éclore. Cependant, au fil des ans, il a abandonné. Les clients ne lui demandent maintenant que des murs blancs ou coquille d'œuf, du jaune poussin pour les pouponnières, du bleu pour les cabinets de toilette et c'est tout. Lui, il rêvait de pans rouges vibrants qui ouvriraient l'appétit des convives dans les salles à manger, de chambres à coucher où vert et violet s'épouseraient, de salons terra cotta. De toute façon, maintenant que Mamina n'est plus là, il ne rêve plus de rien.

L'heure tournait et nous n'en avions cure. Nous étions bien, tous les deux, sans personne pour s'interposer.

— Tu as soif? me demanda-t-il en voyant un marchand de citronnade fraîche. Faim peut-être? Il y a des... choses au miel, enfin, je crois.

— Homme de peu de foi! Voici la zlabia, une pâte à base de yaourt que l'on plonge d'abord dans la friture en dessinant des huit à l'infini, puis dans le sirop.

— Et si nous allions au bord de la plage prendre quelque chose de plus léger?

Je voulais bien. Je désirais tout ce qui retarderait notre retour à Tunis. Nous nous dirigeâmes vers la mer. Bientôt, le café *La petite frégate* nous harponna avec ses tables nappées de papier blanc. Un jeune homme charmant se présenta comme Erneste, le patron. Il nous installa en face de la mer et nous commandâmes quelques grillades.

Mon cœur cognait tellement fort dans ma poitrine que je craignais qu'il ne l'entende. Il était temps de mettre mon plan à exécution.

— Bill, tu sais qu'après-demain, c'est mon anniversaire…

Sans lui laisser le temps de répondre, je continuai.

— Voilà, que penserais-tu si je vous invitais, toi et les filles, à sortir en ville. Je suis certaine que je pourrais obtenir la permission, on pourrait d'abord aller danser, je ne sais pas, et après on resterait tous les deux… seuls… Qu'est-ce que tu en dis?

Ma voix s'éleva d'une octave, comme chaque fois que je perdais le contrôle. Il sembla gêné, toussota et me répondit doucement.

— Je suis désolé, Bout'ch, mais j'ai des engagements que je ne peux pas annuler. Comme tu ne peux habituellement pas sortir, j'ai cru que je pouvais disposer de mon temps. Vraiment, je suis désolé, je ne sais pas ce que je peux faire…

Voilà, c'était en train de m'arriver! Lorsqu'on se dévoile et baisse la garde, la réalité se retourne contre nous et nous transperce. «Attention, disait-on, Dieu n'apprécie pas quand on se montre trop heureux.»

Agnès avait raison. Il désirait disposer de son temps. Disposer de son temps, cela voulait dire être sans moi, avec des gens avec qui il y avait de l'action. Alors qu'avec moi, c'était le calme plat! Agnès avait vu juste. Comme toujours. Le plus difficile maintenant, c'était de parvenir à donner le change. Pas question qu'il réalise à quel point j'étais peinée. Je devais agir normalement, retrouver la voiture, rentrer à Tunis et là, seulement là, je pourrais me terrer chez moi, dans ma chambre, en dessous de ma couverture de laine, lourde et rugueuse, et pleurer, pleurer toutes les larmes que j'avais en stock.

— On y va, il se fait tard ?

Ma voix sonna presque normalement.

Il voulut me prendre la main. Je m'esquivai. Nous marchions en silence et le ciel s'était couvert.

Il fit comme si de rien n'était.

Nous arrivâmes au bureau sans avoir échangé une parole.

— Merci, Bill, dis-je en sautant de la voiture sans attendre son aide. Je dois me dépêcher. À bientôt.

Je courus sans attendre sa réponse, sans me retourner. Je griffonnai un mot d'indisposition que je posai sur le bureau d'Agnès, introuvable, et je rentrai chez moi me coucher.

J'étais affalée sur mon lit et je grelottais. J'avais mis un vieux gilet grisâtre tricoté par Mamina au-dessus de ma chemise de nuit de coton épais et je n'arrivais pas à me réchauffer. J'avais peut-être vraiment attrapé un mal, avec le premier soleil. D'ailleurs, Esther commençait à s'inquiéter et voulait appeler le docteur Scialom [1]. Je n'allais pas engager ma famille dans des frais inutiles et encore moins le déranger. Non, j'allais juste attendre que ces stupides seize ans soient passés et reprendre le cours de ma vie, normalement.

---

1. Né en 1880 et mort en 1966, il a consacré sa vie aux pauvres de la Hara.

Je ne savais pas encore ce que je devais dire à Bill. Allais-je me montrer très adulte, calme et réfléchie, et lui expliquer en mots comptés qu'une jeune fille juive n'est pas… non, qu'aucune jeune fille n'est prête à envoyer promener toutes ses valeurs pour une glace ? Cela me paraissait simple et efficace. Alors que je cherchais à me convaincre depuis des heures, je demeurais persuadée que quelque chose avait dû se passer.

Bill n'était pas comme cela, me répétais-je. Il représentait la patience même. Ces maudits pots de glace le prouvaient. Il ne se serait pas lassé de moi si vite, après tant d'efforts. Il savait très bien à quoi s'en tenir. Il insistait tellement pour m'appeler Bout'ch, pourquoi pas Bébé pendant qu'on y était. Il ne m'avait d'ailleurs jamais rien demandé ou proposé. À moins que mon inexpérience ait fait que je n'ai pas compris. Quand même, je n'étais pas si idiote. Je tournais et retournais des arguments identiques le lendemain, refusant d'aller travailler. Ma sœur toucha mon front frais, me fit tirer la langue, puis décréta :

— Va te laver au bain. Quoi que tu aies, cela te le fera passer.

À la maison, notre toilette consistait en un bac d'eau chaude et un gant. Une fois par semaine, au hammam, nous demeurions parfois l'après-midi entier à nous récurer. Je préparai donc mon nécessaire qui consistait en des vêtements de rechange propres, une grande serviette, une tasse pour puiser l'eau, mon gant de crin et le pot contenant le tfal[1] qui servait à me laver les cheveux et le corps, ainsi que le souak, l'écorce d'arbre avec lequel je frotterais mes dents et mes gencives.

---

1. Argile parfumée à l'eau de fleurs de géranium rosa.

Je me rendis à l'établissement de la médina où ma famille avait ses habitudes. La propriétaire me connaissait depuis l'enfance. Elle encaissa mes frais d'entrée, mais elle m'offrit les rafraîchissements en murmurant : «La pauvre Mamina, paix à son âme. *Irani ma netechouah* [1].» Et le ballet ancestral commença, entremêlant juifs et musulmans au plus profond de leur intimité.

Je me déshabillai et enfilai des sabots pour entrer dans la pièce où les vapeurs, dégagées par les fours extérieurs à bois, obstruaient l'atmosphère. Une sarabande de corps nus s'offrait. Ils étaient identiques, avec leurs seins pendouillants ou gonflés de lait, leur crasse commune frottée au kessé [2], leurs visages rougis aux lèvres assoiffées qui se tendaient pour goûter les citrons doux et s'entrouvraient sur le goulot des bouteilles de cidre. La harzè [3] entreprit de me laver pendant que je humais à m'en soûler les effluves du géranium se mélangeant à celles des bergamotes.

Puis, je changeai de pièce pour me rendre dans un cabinet individuel où je me rinçai à l'eau froide accroupie sur un tabouret bas et tordis mes cheveux avant de les enserrer dans une serviette. Je me sentais fraîche et délassée, et revint à la maison.

Je venais de rentrer lorsque des coups retentirent à la porte : sans doute Yolande voulant déposer Dadou. J'allai dans ma chambre, espérant qu'Esther s'en occuperait. Un long moment s'écoula.

---

1. « *Que Dieu fasse que je ne sois pas en deuil de quelqu'un de très proche.* »
2. Gant de crin.
3. Femme désignée pour aider les personnes à se laver.

— Sarah, c'est pour toi!

— Je suis malade.

— Sarah, je te dis que c'est pour toi, répéta Esther.

Je me rendis jusqu'à la porte et vit Agnès et Mady, en grande tenue.

— Habille-toi, me commanda sèchement Agnès, sans tenir compte le moins du monde d'Esther.

— Je suis malade.

— On n'est pas malade à seize ans. Habille-toi, ou tu es virée.

Elle ne semblait pas d'humeur à la rébellion.

— Tu ne peux pas! C'est de l'abus de pouvoir.

— Parfaitement, je peux! Les dictateurs sont à la mode ces dernières années.

Mady nous regardait nous affronter, affreusement gênée

Esther assistait à notre match de ping-pong, les yeux froncés et les mains sur les hanches. Je n'avais plus le choix et Agnès savoura sa victoire à l'instant où elle vit mon regard s'attarder sur ma sœur.

— Prends ton temps, Esther nous a proposé des gâteaux. N'est-ce pas Esther? continua-t-elle de sa voix redevenue douce comme le miel. Bonsoir, monsieur Ouzari, je suis ravie de vous revoir... À propos, je vous enlève aussi Germaine. Nous avons besoin d'elle... des retouches de dernières minutes... Je suis sûre que vous comprenez.

J'ouvris des yeux comme des soucoupes. Je soupçonnais les hommes de ma famille d'être impressionnés par une femme si grande, si élégante et sentant si bon.

J'entrai dans ma chambre et fis claquer la porte, me comportant comme une enfant. Soudain, la poignée grinça et Agnès fit irruption dans la pièce. Elle commença à parler et ses paroles sourdes n'étaient audibles que par nous.

— Écoute, je vais te confier ce que personne ne sait sur moi. Je suis une fille unique et gâtée. J'ai toujours eu ce que je voulais. À dix-huit ans, je suis entrée dans une école de secrétariat, avenue Montaigne, juste à côté de la tour Eiffel. Lorsque la guerre a éclaté, au début, rien n'a vraiment changé pour moi, j'ai continué les cours la semaine et le restaurant de mes parents le week-end. Un samedi, alors que je fermais les rideaux, sont arrivés deux jeunes hommes qui couraient, suivis d'un autre plus âgé, d'une femme et deux enfants. Ils ont poussé le battant et ont crié : «Vite, les boches, ils nous suivent!» Je n'ai pas réfléchi. J'ai ouvert la trappe, celle qui donnait accès au caveau où nous rangions tous nos fûts, notre réserve, quoi. Puis j'ai éteint la lumière. Je les ai vus, avec leurs longs manteaux noirs, la Gestapo. Ils ont tourné un peu autour du pâté de maisons et puis ils sont partis. Voilà, j'étais entrée dans la Résistance sans le savoir. Les deux jeunes hommes s'appelaient Xavier et Bernard. Ils aidaient une famille juive à passer en zone libre. La brasserie se trouvait à côté du quartier de Belleville. J'ai recommencé plusieurs fois, j'ai délivré des messages, servi de boîtes aux lettres et, surtout, je suis tombée amoureuse de Xavier. Il avait le même âge que moi, il était beau, courageux. Je l'ai présenté à mes parents, comme un étudiant de mon école. On allait se fiancer… Et puis, la cellule a été repérée, j'étais grillée. Xavier a organisé notre départ en Angleterre. Je suis partie la première. Lui, il devait me rejoindre une semaine après. Le lendemain de mon évasion, ils l'ont arrêté. Il a cherché à s'enfuir, alors ils l'ont abattu. Bernard, lui, a été torturé. À Londres, j'avais des contacts. J'ai fait du secrétariat, j'ai appris l'anglais et ensuite, de fil en aiguille, j'ai atterri ici... Voilà... C'est ça la guerre, c'est ça que je voulais que tu comprennes. Le bonheur, il faut savoir le reconnaître quand il passe à portée de la main et s'en saisir. Cela inclut une part de risques.

Agnès avait débité son histoire d'une seule traite, d'un seul souffle. Je la pris dans mes bras et ce moment unique réaffirma ma certitude de l'existence de Dieu, balayant mes doutes et mes incertitudes. La vie constituait en un va-et-vient d'énergie, un échange. On m'avait beaucoup enlevé, j'avais beaucoup reçu... Qu'avais-je donné ?

Je devais décider de ce que je devais porter. Je ne savais pas où mes amies voulaient en venir, mais elles étaient toutes les deux très élégantes. Agnès rayonnait en rouge et blanc : une robe à manches bouffantes dans une percale imprimée de larges arabesques cramoisies et un petit boléro très court. Comme accessoires : un gros collier et un bracelet assorti de fausses perles blanches enroulées autour d'un épais ruban galonné du même rouge. Quant à Mady, elle était drapée de bleu pétrole. Une chasuble de jersey nouée sur le devant retombait en plis harmonieux sur ses hanches. Un magnifique camée gris maintenait l'écharpe qui se liait à son cou.

Je choisis, avec Germaine, un modèle qu'elle avait réalisé des semaines auparavant pour un concours entre son école et celle où elle rêvait d'aller en Italie, concours pour lequel elle avait gagné le premier prix.

Cette robe paraissait simple, mais le patron était des plus compliqués à couper. Elle virevoltait de crêpe Georgette, fleuri lilas, tourbillonnait de féminité. La jupe ample était cousue à un corsage qui formait en fait un chauffe-cœur dont la longueur des pans avait été outrageusement allongée. On devait les croiser l'un sur l'autre sur la poitrine, les ramener dans le dos où ils s'enlaçaient à nouveau. Ensuite, on les nouait sur le côté droit en un chouchou des plus gracieux. La robe devait peser cent grammes.

Mes cheveux ondulaient. Je décidai de les laisser aller librement. Germaine releva juste le côté gauche et, avec une pince, fit mine d'épingler une petite fleur d'oranger.

— Enlève ça, je t'en prie, cette odeur me donne envie de vomir.

— C'est nouveau, répondit-elle simplement.

J'étais prête. Elle aussi. Elle avait revêtu sa petite robe noire, refusant de se mettre en valeur, se cachant derrière ses somptueuses créations. Du couloir, je pouvais entendre les rires qui fusaient entre Esther et mes amies. J'entrai dans la cuisine et un silence approbateur m'accueillit.

— Bon, on y va, dit Agnès rapidement. Mady se leva de sa chaise comme un ressort.

— Faites bien attention à mes petites sœurs, je vous les confie.

Esther se montrait un peu hésitante et pivota vers mon père, comme si elle cherchait son approbation. Agnès capta l'hésitation de celui-ci à la seconde et nous poussa littéralement vers la porte. En bas, la Jeep de fonction d'Agnès nous attendait. Germaine et moi montâmes, incapables de savoir où nous allions. Agnès roulait doucement, à cause de nos coiffures. Nous arrivâmes au Centre des opérations de l'*American Air Force* à El Aouina. Les bâtiments paraissaient gigantesques, sans le moindre rapport avec nos bureaux étriqués.

Agnès passa la sécurité en montrant son badge et se gara auprès de plein d'autres véhicules, près du hangar principal, peut-être le même que celui que la Luftwaffe avait utilisé pour établir ses quartiers en pénétrant en Tunisie.

Nous entrâmes dans les locaux. Une garde d'honneur nous salua. Au bas mot, cinq cents convives évoluaient entre les tables nappées de blanc qui couvraient toute la surface de l'entrepôt. Tous les hauts officiers des Forces armées alliées sur le sol tunisien étaient présents : des Américains, des Anglais, des Canadiens et même des Français, ceux qui avaient suivi le général de Gaulle. Nous prîmes place et Bill vint nous rejoindre. Il se pencha vers moi et me baisa la main, puis disparut.

Quelques minutes plus tard, Rina me toucha l'épaule. Elle était accompagnée d'Albert. Rina m'avait confié, juste après son aveu à propos d'Albert, un tract dans lequel Bourguiba exhortait la population arabe à aider les Alliés. En cette soirée irréelle, je m'en souvenais, mot pour mot, car à force de le lire et de le relire, je le savais par cœur :

> L'Allemagne ne gagnera pas la guerre et ne peut la gagner. Entre les colosses russe et anglo-saxon, qui tiennent les mers et dont les possibilités industrielles sont infinies, l'Allemagne sera broyée comme dans les mâchoires d'un étau irrésistible… L'ordre vous est donné, à vous et aux militants, d'entrer en relation avec les

Français gaullistes en vue de conjuguer notre action clandestine… Notre soutien doit être inconditionnel. C'est une question de vie ou de mort pour la Tunisie [1].

Son propos m'avait rassurée sur le calibre de l'homme. Il s'agissait d'un politicien et non d'un illuminé. Cette lecture m'avait apaisée, mise en paix avec ma famille et mes amis. Ma relation avec Rina, Agnès et Mady, et maintenant Bill, avait déclenché un effet domino : je n'aurais pas admis qu'Albert représente un buttoir. Son antipathie chronique ne regardait que lui, ses convictions en revanche, nous tous. Et, en ce moment, Habib Bourguiba m'apparaissait peut-être comme une alternative pour nous tous, les Tunisiens.

Ils s'assirent à notre table. Je ne comprenais rien et je voulais qu'Agnès m'explique, mais elle m'évitait, courant partout avec Mady. Les lumières s'éteignirent et sous les applaudissements nous vîmes le général Dwight Eisenhower [2] et d'autres très hauts gradés s'installer sur l'estrade. Il s'en suivit un discours galvanisant.

— Je suis fier d'être ici, sur la terre de la première victoire, sur le sol tunisien avec mes amis et alliés. Vous faites un travail exceptionnel et grâce à vous, l'Histoire est en marche.

---

1. Bourguiba écrivit ce texte le 10 août 1942 pour définir sa position, alors qu'il est emprisonné au fort Saint-Nicolas à Marseille. Il était adressé à Habib Thameur, président par intérim du parti Néo-Destour.
2. Ce couscous géant à El Aouina et la présence de Eisenhower et d'autres gradés sont rapportés dans une lettre du 24 avril 2004, par monsieur Simon Baroukh, aujourd'hui décédé.

La foule exultait, buvant littéralement les paroles des tribuns. Ils étaient assis en rang d'oignons sur l'estrade, puis se levaient pour se succéder devant le micro qui tenait le centre de la scène. À chaque changement, ils se remerciaient les uns les autres, se donnaient des accolades. Ils m'apparaissaient auréolés de conviction et de force, invincibles. J'écoutais peu les mots, je me sentais transportée par la liesse de l'assistance, par la ferveur de ce moment où tous les espoirs nous semblaient possibles, tangibles.

Sous les clameurs, les parois de tôle du hangar vibrèrent, décuplant les décibels. Le général et ses invités rejoignirent la table d'honneur et le repas débuta : un couscous gigantesque. La fébrilité des dernières minutes commença à tomber. Tout le monde semblait ravi. Agnès s'assit à côté de moi.

— Alors, tu comprends pourquoi Bill et moi, nous étions à cran ces derniers jours. Organiser un événement d'une telle envergure, dans le secret absolu... Non, merci, plus jamais, dit-elle en finissant son verre de whisky.

— Pardonne-moi, je me sens tellement bête. Je ne sais vraiment pas quoi dire.

— Et bien, trouve vite parce que le pauvre Bill vient s'asseoir et que tu lui en as fait voir de toutes les couleurs. Tu te rends compte qu'il n'a pas annulé votre leçon de conduite et a passé l'après-midi entier à se promener dans les souks avec toi, alors qu'une partie importante de la réception reposait sur ses épaules. Je ne sais pas comment il y est arrivé. Non, vraiment, ce garçon est incroyable !

Les pièces du puzzle commençaient à se mettre en place. Le plan militaire des Alliés se dessinait sous mes yeux et l'importance primordiale et stratégique de la Tunisie m'apparaissait limpide. Ils avaient ouvert un front, prenant à revers Mussolini et par conséquent Hitler, contrôlant la Méditerranée. Ils chercheraient peut-être à en percer un autre. La victoire du général Montgomery à El Alamein sur l'Afrikakorps de Rommel n'était qu'un début. Ils sont passés par la Sicile et ils remontent, pensais-je. S'ils se sont déplacés, c'est pour lancer une opération d'envergure, quelque chose d'énorme qui va aboutir à la fin de la guerre!

Agnès se retourna vers Mady. Bill me toucha du regard.

— J'ai pensé que je pouvais m'asseoir à ta gauche, si tu veux bien, commença-t-il.

— Bill, je suis désolée, j'ai été en dessous de tout, je ne sais pas quoi dire. Je me suis fait des idées noires, murmurai-je tout en réalisant que mes paroles ne rattraperaient pas mon attitude égoïste et immature.

— Noir, ce n'est pas une jolie couleur.

— Techniquement, cela n'en est pas une. Le blanc aussi. Ce sont des valeurs. Et justement, cela ne pouvait pas mieux tomber parce que j'ai cru que nous n'avions pas les mêmes... valeurs.

Et voilà, j'avais tout dit. J'abaissai mon menton dans le pli de mon cou, tandis que mes doigts torturaient mes cheveux. Je n'avais pas pu attendre. Le moment de vérité avait sonné.

— Chut, ma belle, dit-il alors que sa large main s'emparait de mon visage, nous avons les mêmes valeurs, je te l'assure, et c'est sans doute cela qui posera problème.

Sa voix me berçait, me rassurait. J'enfouis dans mon subconscient la fin de sa phrase. Le couscous se révéla délicieux. Le

208

vin, que je n'avais pas l'habitude de boire, balaya mes angoisses. J'étais bien.

Happy birthday to you, Happy birthday to you, Happy birthday to you, dear Bout'ch, Happy birthday to you! entonna la tablée.

D'un des coins de la salle s'avançaient deux serveurs, portant un gâteau illuminé. Étourdie, je vis toute la tablée se lever et compris enfin la raison de la présence de ma sœur, de Rina, et d'Albert : mon anniversaire! Bill me soutint par le coude. La pâtisserie au glaçage blanc et rose fut posée sur un tréteau pliant, à côté de moi. Alors que je me penchais pour souffler les bougies, je pus lire : *Sweet sixteen for Bout'ch who has never been kissed.*

Bill me regarda et dit :

— Hum, je crois que je peux arranger ça.

Il me prit par la taille et m'enlaça. Ses lèvres se posèrent sur les miennes et lorsqu'il voulut me laisser, je m'agrippai, perdant l'équilibre. Ma tête tourna. Incapable de réagir devant la soudaineté de ce baiser, je demeurai stupéfaite, envahie de sentiments contradictoires entremêlés d'euphorie, d'effarouchement et de stupéfaction. J'échangeai avec Germaine un regard suppliant. Je pouvais lui faire confiance, elle ne dirait rien à la maison. Mieux, j'étais soulagée que quelqu'un vraiment proche de moi, qui me connaissait depuis toujours, partage mon secret. Cela lui conférait une tangibilité. Non, je ne rêvais pas : quelqu'un m'aimait et je l'aimais en retour.

— *Congratulations*, ma-de-moi-selle.

Le général Dwight Eisenhower, flanqué de sa garde rapprochée, prêt à quitter la soirée et remontant l'allée vers la sortie, dévia légèrement de sa route pour me féliciter. Je ne savais plus ce que je bafouillai en retour. En revanche, je le vis jeter un coup d'œil amusé à l'inscription et, alors qu'il donnait une tape paternelle sur l'épaule de Bill, il ajouta :

— *Good for you, son*!

14

La face de la guerre était en train de se modifier. Nous venions d'apprendre qu'hier, Charles de Gaulle avait pris la direction du Comité Français de la Libération Nationale et opéré un changement majeur en évinçant le général Giraud. Agnès n'arrêtait pas de dire : « Un + un = deux. Il va se passer quelque chose, c'est imminent, les Forces alliées se préparent. Le jour J est pour bientôt. »

À la maison, nous avions réuni toute la famille pour l'abil marquant la fin de l'année du deuil de ma mère. Mon oncle Mardoché, dont le petit dernier souffrait de la rougeole et qui ne voulait pas prendre le risque de nous la passer, me manquait affreusement. À cause du calendrier lunaire, l'année hébraïque était plus courte. La lune m'avait donc volé un temps précieux d'affliction, pressée sans doute, comme tous les Juifs, de retourner vers des occupations plus festives.

Le matin, nous étions tous allés à la synagogue de la rue de la Moire entendre Émile réciter quatre fois la prière. Quatre fois nous nous étions levés. Quatre fois nous avions écouté les rabbins psalmodier les paroles sacrées. Mes âmes sœurs avaient tenu à être présentes et nous avaient rejoints pour le souper. Agnès m'avait raconté que son père disait toujours que, pour avoir des amis, il suffisait de pendre un jambon à sa porte. En fait, elle voulait me convaincre à sa manière qu'elle demeurerait là, tout le temps, et pas seulement pour les réjouissances. Rina n'avait pas obtenu d'Albert la permission d'assister à l'office. Venir à la maison, cela passait encore, mais la synagogue faisait trop juive. Ma sœur de lait ne me l'avait évidemment pas avoué, mais moi, j'avais compris et j'étais terriblement choquée, révoltée même. Depuis quand la religion avait-elle été un obstacle ? Le lait qui avait nourri sa dulcinée ne coulait pas des palmiers, mais des mamelles juives de notre mère. Un doute commençait à m'envahir. Cette distinction entre Tunisiens ne prévoyait rien de bon. Que pouvait m'apporter le nationalisme s'il signait mon exclusion ? Comment pourrais-je témoigner de ma fidélité à ma patrie si je n'en avais pas l'occasion ? Je me promettais d'avoir une discussion avec Albert. Cette situation tissée de silence et de sous-entendus tournait au ridicule et surtout à son avantage. Aujourd'hui, il m'avait fait prendre conscience que nous avions plus de respect pour lui que lui pour nous.

Selon le rituel, nous avions allumé dans le salon une veilleuse avec un litre d'huile et une grosse boule de coton. Esther assurait qu'elle durerait vingt-quatre heures. Elle s'était encore attelée à la cuisine et nous avions partagé les mets traditionnels comme les batata bél kamoune [1] et l'akoud [2], à la table de notre salle à manger.

J'étais restée très silencieuse toute la soirée, observant les convives un à un. Ninon traînait Élie comme un caniche. Jacob arborait un nouveau complet et une femme amoureuse à son bras. Hannah et lui filaient le parfait amour. Tant mieux. Yolande savait tout, sur tout, et l'admiration que j'avais un temps ressentie pour elle à propos de son sens de la répartie glissait doucement, mais sûrement, vers l'exaspération : une

---

1. Plat mijoté et cuit à l'étouffé, aux pommes de terre et au cumin.
2. Plat de tripes au cumin, avec harissa.

réplique à chaque question, un proverbe pour appuyer chaque commentaire. Je la soupçonnais de manquer d'intelligence. Bébert partageait ses brèves de comptoir avec Émile. Mon père se rétrécissait, mangeant peu et faisant des boulettes avec la mie de son pain.

Jules était venu sans Simone et gratifiait mes amies d'une moue de dédain, une bouteille de boukha à portée de sa main. Il la vidait avec régularité dans un petit verre réservé normalement au thé. Il me regardait bizarrement. Je détournais les yeux, très mal à l'aise, quand, soudain, je vis Agnès virer au vert.

— Qu'y a-t-il ? Tu te sens mal.

Je n'eus pas le temps de finir ma phrase que je la vis se ruer vers les toilettes tenant sa serviette sur sa bouche crispée.

Ils s'en étaient allés un à un et, avec la porte verrouillée sur cette soirée qui marquait le début d'une ère nouvelle en dehors des obligations du deuil, puis celle fermée sur la chambre où Agnès se reposait après qu'Esther lui eut interdit de rentrer chez elle, j'écoutais les lamentations de ma sœur mortifiée au plus profond d'elle que sa cuisine soit la cause de l'indisposition de mon amie.

Il était tard, pourtant je n'arrivais pas à trouver le sommeil, assaillie par des doutes et des interrogations. Je me retournais sans répit entre mes draps froissés. Je parvins à la double constatation que la présence de Bill à mes côtés m'avait fait terriblement défaut ce soir et que je n'avais pas fait grand-chose pour tenir la promesse que je m'étais faite lors de l'enterrement de Mamina. J'allumai tout doucement ma magnifique T.S.F. à six lampes avec un œil magique, posée sur ma table de chevet, encore un cadeau excentrique d'Agnès, comme si elle ne m'en avait pas fait assez. À la radio jouait cette chanson langoureuse :

Besame, besame mucho,
como si fuera esta noche la última vez.
Besame, besame mucho,
que tengo miedo tenerte y perderte después[1].

Il faisait lourd, j'étouffais, je voulais quitter cette chambre, ce corps, cette vie étriquée. J'étais en sueur, moi qui ne transpirais jamais. Je me débattais, ma tête pleine à exploser. Bill et moi avions eu notre première dispute. Je me levai pour me rafraîchir puis, mue par une pulsion subite, folle, je m'habillai à la hâte, longeai le couloir, entrevis la cuisine par la porte entrebâillée, avec son lot de vaisselles sales qui attendraient le lendemain pour être lavées. Je fis tourner la poignée de porte de l'ancienne chambre de Jacob où nous avions installé Agnès.

— Agnès, tu vas bien ? chuchotai-je, en m'approchant.

— Hum, il n'y a que le ridicule qui ne tue pas, à ce qu'on dit.

— Ne sois pas bête, il n'y a aucune honte à être malade.

— Peut-être, mais j'ai fait de la peine à Esther.

— Bah ! Elle s'en remettra. Les tripes, ce n'est pas facile à digérer…

— Tu peux ne pas prononcer ce mot devant moi, me dit-elle avec une moue nauséeuse.

---

1. *Besame mucho,* «Embrasse-moi beaucoup», est un boléro composé en 1941 par la chanteuse mexicaine Consuelo Velázquez.

— Tu me passerais ta voiture, ce soir? J'ai envie d'une glace.

— Sarah, tu ne vas pas faire des bêtises, ma toute belle.

— Moi, des bêtises, regarde-moi dans les yeux, je ne suis pas capable d'en faire, voyons.

Justement, elle me regardait et je crus lire dans son regard qu'elle me sentait capable de bien plus de choses que je ne l'imaginais. Elle soupira, puis esquissa un geste vers son petit sac, encore faible.

— Tiens, les clefs, les papiers, tout est là.

Je quittai sa chambre sur la pointe des pieds, évitai avec précision tous les endroits où le parquet couinait, manœuvrai habilement la porte qui grinçait et mis mes chaussures à l'extérieur, sur le trottoir. Maintenant, je rêvais d'un granité, une perfection pour désaltérer n'importe quel assoiffé. Un granité comme celui du glacier qui actionnait avec son pied une pédale, faisant ainsi tourner un large récipient dans lequel reposait sur un lit de glace un marmittedefer[1] contenant de la limonade. Il y remuait une baguette dans le sens contraire. La citronnade se figeait alors sur les parois extérieures du bol, puis atterrissait à la cuillère dans un verre. Cela se sirotait avec délice, entre boisson et sorbet.

Il me fallait donc une voiture pour aller à la Goulette déguster ce granité, me disais-je. À quoi sert de conduire si on ne peut pas s'évader? Je mis en route le moteur et partis dans la nuit tunisoise, le vent dans mes cheveux. J'arrivai au cœur de la ville, rempli de noctambules, de soldats, de couples enlacés,

---

1. Contenant de fer-blanc.

puis me dirigeai vers la Goulette-Casino à la recherche d'une brise fraîche.

L'endroit avait les pieds dans le sable. C'était un bâtiment tout blanc construit de pierres presque immaculées et ajourées, doté d'une tourelle et de fenêtres en ogive, d'une terrasse avec une vue panoramique sur la mer et qui abritait tous ceux qui désiraient une chambre propre et un repas mieux que simplement chaud. L'après-midi, on pouvait y jouer aux cartes et c'est sans doute ce qui lui avait valu son appellation. Surtout, à sa gauche, il y avait un merveilleux glacier spécialiste de granité au citron ou à la fraise. J'espérais qu'il serait encore là, à cette heure tardive. L'hôtel était plus calme le soir que le reste de la ville.

J'approchai et cherchai une place non loin. Je ne voulais pas quitter des yeux la Jeep d'Agnès. La voiture était celle du service.

Avant-hier, Bill m'avait confondue. Il désirait participer à la cérémonie pour Mamina, par respect pour moi. Je refusai, me retranchant derrière ma famille qui, je voulais m'en persuader, n'était pas prête. Il m'avait regardée et avait répliqué que c'était moi qui ne l'étais pas. Quel culot! Pourquoi voulait-il avoir toujours raison? Je lui avais tenu tête, comme une enfant têtue et gâtée. Je l'avais blessé.

Le marchand était bien là, ainsi que des clients et des soldats. Les filles à leur bras semblaient vulgaires et trop maquillées. Je n'avais pas l'habitude d'être seule la nuit dans la rue. Lorsque je partais faire des courses à la Hara, Mamina me disait toujours: «Ne marche pas bêtement!» Marcher avec intelligence, c'était toujours tenir son sac serré près de soi, regarder si quelqu'un

216

vous suivait ou voulait vous coller, changer de trottoir, rentrer dans un magasin, chercher du monde...

Je jetai rapidement un coup d'œil autour de moi, évaluai la dangerosité de l'endroit où je me tenais. J'étais folle. Que faisais-je là, cherchant à acheter des glaces alors que... et tout d'un coup je compris. Une douleur à l'estomac me courba en deux, me coupa le souffle.

Bill logeait là. Je l'avais entendu le mentionner clairement, plusieurs fois.

Je courais vers la voiture, entrechoquant les clefs dans mes doigts tremblants, n'assumant pas ma pulsion, mon désir, lorsque derrière moi une présence se fit pressante. J'esquissai un mouvement, pourtant je ne bougeai pas. Je criai, mais aucun son ne franchit ma bouche. Je sentis un bras m'enlacer.

Je pivotai et enfin... je le vis, là. Devant moi

— Je peux savoir ce que tu fiches là ?

Il ne souriait pas. Il était inquiet de me voir seule dans les rues. Il était si grand que je disparaissais complètement, nichée au creux de sa poitrine.

— Je ne sais pas.

Je bafouillais, confuse et incohérente, quand, tout d'un coup, je relevai le menton et me lançait dans une tirade grotesque.

— J'avais envie d'une glace parce que, ne t'en déplaise, nous aussi, nous savons faire les glaces. Elles sont sans aucun doute bien meilleures que celles du bureau ! Et ne me contredis pas, parce que je suis fatiguée que tu veuilles toujours avoir raison. Tu es arrogant, tu sais ça, un Américain arrogant, ce qui est, en fait, un pléonasme...

Ma voix se perchait dans les aigus, presque hystérique, au bord des larmes.

Il toucha ma mèche. Joua avec elle comme si elle lui appartenait déjà. Pourquoi s'intéressait-il à moi ? Personne ne le faisait, même pas moi. Et Agnès. Mais Agnès... Il personnifiait le rêve, mon rêve. Il souriait et ses lèvres s'entrouvraient.

Je vis son visage se rapprocher de ma bouche et un frisson me parcourut. Ses baisers goûtaient le miel et je m'y abandonnai. Je me sentais molle, comme dépossédée de toute volonté propre. Nous marchâmes vers l'hôtel. En cette nuit étoilée, tout ondulait autour de moi. Il ne faisait ni trop chaud, ni trop froid. L'air était doux, avec pourtant mille nuances différentes. À fleur de peau.

Je me laissai guider vers la porte d'entrée de sa chambre qu'il ouvrit d'un balancement de hanches, car ses bras étaient trop occupés à m'enlacer. Au loin, j'entendis le bruit des vagues s'échouer sur la plage, tout comme mon corps contre le sien. Nos actes étaient empreints d'évidence. Nous restâmes enlacés durant de longues minutes et je pensai que jamais je ne serai plus heureuse que ce soir. Le simple fait de me trouver dans cette pièce éveilla en moi un émoi indescriptible. Mon regard erra vers la commode où son nécessaire de toilette s'étalait sur le dessus de marbre, puis s'arrêta sur mon reflet dans le miroir à pied dressé au coin des murs, sur lequel son blouson de cuir pendait négligemment. Je me trouvai jolie pour la première fois, dans cette pose lascive si incongrue.

Avec ses grandes mains, il s'empara de mon visage et me regarda avec un amour incommensurable, incontestable, m'élevant ainsi au rang d'être la plus désirable au monde. Il embrassa mes paupières, mes joues, et caressa mes cheveux, respira leur parfum épicé. Puis sa bouche descendit vers mes lobes d'oreilles, mon cou et enfin ses lèvres frôlèrent mes épaules. Mus par un besoin impérieux, mes doigts malhabiles entreprirent de déboutonner sa chemise, tandis que les siens dégrafaient ma robe, comme le bruissement du coton qui tombait à mes pieds me le confirma.

Je me sentais tellement à ma place en ce moment très précis que je ne réalisai pas tout de suite que ce n'était pas seulement cette certitude qui me heurtait, mais également le sommier de fer forgé de son lit blanc que je cognais. Celui-ci trônait au beau milieu de la chambre et du sol grège carrelé, comme un îlot autour duquel le sable, qui s'infiltrait partout, tenait sa promesse de rivages enchantés. Je n'aurais pas pu rêver d'une telle perfection. J'avais crié dans le désert avant de trouver la Terre promise et sous ma semelle, où que je sois, il s'égrainait.

Je tremblai comme une feuille sous ses baisers dont il parsemait mon corps, qui se tendait pour les recevoir. Chacun de ses gestes s'écoulait au ralenti et me laissait pantelante, bouleversée par leur tendresse. J'étais certes très jeune, mais la certitude que j'avais d'avoir trouvé l'amour que d'autres mettaient des années à capturer, de vivre ce que certains ne connaîtraient jamais, ne souffrait pas la moindre objection. Cette épiphanie me transperça. Je sentis mon cœur cogner dans ma poitrine, ma tête tourna, la réalité se déroba et je me mis à flotter alors que nos corps dansaient l'un contre l'autre.

Je voyais des fleurs, des hortensias blancs et bleus. C'était beau ! Je planais au-dessus d'eux, telle une abeille, butinant. Je contemplai alors dans ses yeux azreq un ciel azur sans le moindre nuage, puisqu'il les avait chassés d'un battement de cils.

Il m'embrassait encore et encore, s'accrochait à moi, m'étreignant comme si son existence en dépendait, me murmurant de ne pas m'inquiéter, que tout irait bien.

En cette soirée où nos deux vies se confondaient, nos larmes se mêlèrent à notre moiteur, sillonnant sur nos peaux brûlantes, tout comme ce filet rouge indélébile qui marquait les pécheresses et qui coulait maintenant entre mes cuisses.

J'avais cessé de réfléchir, par crainte d'en oublier d'aimer, et je savais que je ne le regretterais jamais, quelles qu'en soient les conséquences.

15

Ma vie avait toujours été remplie de certitudes, même en ce qui concernait mes incertitudes. Désormais, je savais que chaque jour comptait.

Mon Dieu! Comme j'étais amoureuse! J'en avais perdu le sommeil, je n'avais plus faim. Je crois que je ne respirais plus qu'en sa présence. Tout le reste du temps, j'étais en apnée. L'imminence du danger me poussait à tout risquer pour le voir. Chaque minute passée loin de lui me semblait une minute inutile.

Mon escapade était passée inaperçue. Bill avait insisté pour me suivre en voiture sur le chemin du retour et avait attendu longuement que je rentre chez moi, guettant le bruit de voix en colère. Depuis, nous nous voyions au bureau, certes, mais avions peu de moments pour nous retrouver seuls, profiter de la présence de l'autre, discuter de tout et de rien et ce, avec l'insouciance que notre âge aurait dû nous conférer. Je me sentais oppressée. Tout revêtait un caractère intense, dramatique, chaque détail, chaque minute, au travail et maintenant à la maison, parce qu'une échéance capitale au sein de la vie juive tunisoise approchait : la Pâque, Pessah, qui commençait cette année un vendredi à dix-neuf heures vingt-huit, durerait comme à l'accoutumée une semaine et nécessiterait un effort colossal de la part de sa population féminine. En effet, comme la religion l'exigeait, nous devions manger du pain azyme[1], en souvenir

---

1. Le pain azyme est un pain non levé.

de la fuite des Hébreux d'Égypte. Esther avait frotté et lavé chaque centimètre carré de l'appartement afin de se débarrasser de tous les restes de hametz[1]. La miette, autant métaphore que réalité, forçait à un nettoyage que d'autres cultures nommaient ménage de printemps.

Lors du shabbat précédant la Pâque juive, les rabbins avaient lancé l'appel de convier autant que possible les militaires présents dans la ville à partager les repas des deux soirs traditionnels de la fête afin de les remercier de toutes leurs largesses[2]. Je ne savais pas pourquoi nos célébrations s'éternisaient de la sorte. Peut-être parce que nous n'aimons rien faire comme tout le monde et que c'était un bon moyen de nous faire remarquer! Plus sérieusement, mon père, arguant ses origines portugaises, racontait qu'il s'agissait d'un subterfuge pour déjouer la persécution des Juifs pendant l'inquisition espagnole. La confusion semée par les deux soirs rendait leur prise moins aisée. Mon oncle Mardoché, quant à lui, soutenait que les membres de la diaspora ne pouvaient s'assurer de l'exactitude et de sa simultanéité des prières avec Jérusalem. Ils auraient donc développé une tradition s'étalant sur deux jours plutôt qu'un, persuadés que l'un des deux serait forcément le bon. À Tunis, la population s'arracha doublement nos G.I., déterminée à exprimer sa gratitude à l'armée américaine qui, via notre service, s'était montrée d'une générosité inouïe, déversant des tonnes de marchandises lors de Rosh Hashana, Yom Kippour et Souccot dès

---

1. Hametz est le terme hébraïque pour le pain levé obtenu par fermentation de l'un des cinq types de céréales (le blé, l'orge, l'avoine, le seigle et l'épeautre) au contact de l'eau.
2. Faits relatés par Simon Baruch et différents témoins.

son arrivée sur notre territoire. Tunis les aimait. À cette annonce, contredisant totalement l'esprit même de cette invitation qui se voulait désintéressée, nous avions reçu l'ordre au bureau de pourvoir à tous les besoins alimentaires ou spirituels de la communauté. De plus, nous avions déballé des dernières cargaisons, en provenance des États-Unis, des boîtes de présents que nos soldats remettraient à leur hôtesse. Je ne savais pas comment, mais la nouvelle s'était répandue comme une traînée de poudre.

Mady et Agnès avaient organisé pour le jeudi matin la distribution de denrées sortant tout droit de l'usine Manischewitz, célèbre auprès de la communauté américaine, mais dont nous n'avions jamais entendu parler. La cargaison se composait de boîtes de fines galettes carrées, de soupes, de gâteaux secs, de bonbons, bref, de délices dont nous n'avions pas l'habitude de couvrir notre table. De plus, les soldats invités devaient remettre à leurs hôtesses une boîte regorgeant de lingerie, de parfums, de jouets pour les enfants, ainsi que d'une radio portative qui fascina Agnès.

J'étais prise entre plusieurs feux : d'un côté, l'organisation de cette distribution ; de l'autre, les amies d'Esther qui se pressaient dans notre cuisine et suppliaient ma sœur d'intercéder auprès de moi pour recevoir un soldat !

Le contingent américain ne suffisant pas à la demande, Agnès eut l'idée de demander aux autres formations de s'unir aux Américains. Ainsi, Canadiens, Australiens et Anglais se joignirent aux festivités et, dans l'esprit de liesse qui régnait, peu importait qu'ils viennent les mains moins remplies que les nôtres.

Au jour dit, l'avenue de Paris avait été bloquée à la hauteur de la grande synagogue par des camions et des jeeps de la police militaire tentant de régler la circulation. Bill était venu nous aider. En fait, il consignait les événements dans son carnet qu'il sortait désormais de plus en plus souvent.

— Tu vas finir par écrire un livre, lui dis-je, en attendant que le camion de marchandises se mette en position pour que nous puissions commencer la distribution.

Il me sourit d'un air un peu triste. Je savais parfaitement pourquoi. Bill aurait voulu partager ce moment avec ma famille et moi en affichant notre relation, mais j'avais encore refusé, alléguant que nous étions en deuil et ne recevions personne. J'avais honte au plus profond de mon être de cette excuse ridicule et illogique, puisque nous avions déjà invité Agnès et Mady, mais cela m'arrangeait bien. En vérité, je ne me sentais aucunement prête à le présenter à mon père. J'étais morte de trouille ! Il en était conscient. Une fois de plus, je l'excluais de mon univers et lui causais beaucoup de peine. Je ne trouvais pas les mots pour le rassurer sur mon amour, pourtant je l'aimais, de cela j'étais absolument certaine, j'espérais juste que lui l'était également.

La foule se pressait autour des militaires. J'entrevis quelques visages que je n'avais pas revus depuis des mois. Certaines de mes anciennes copines de classe, comme Camille Berdah, Georgette Mazouz et Émilie Gafson, me faisaient des signes exubérants de la main et criaient mon nom. Je ne leur répondais pas, soi-disant très à mon affaire, mais Agnès, non loin, avaient vu le manège et s'approcha :

— Tu es saluée, quel succès ma belle !

— Ouais, c'est ça! Depuis un an que ma mère est morte, pas une n'est passée prendre de mes nouvelles! J'avais quitté l'école, alors je n'étais plus assez bonne pour elles.

— Si tu veux, je ne leur donne pas de chocolat…

Je me mis à rire. Agnès avait le don de l'à-propos. Elle ne remplaçait pas ces anciennes amies, elle personnifiait l'amitié.

Soudain, les soldats rompirent la chaîne, et se déversa sur nous toute la Hara de Tunis en quête de sa manne. En une heure, comme un champ de blé ravagé par les sauterelles, toute la cargaison avait disparu.

— Si tu veux mon avis, continua Agnès, tu devrais t'occuper de ce jeune homme là-bas. Du menton, elle désigna Bill. Il fait peine à voir.

— Je sais, murmurais-je. Merci d'avoir prévu un repas chez toi pour les deux fameux soirs. Il broiera moins du noir. C'est la première fois qu'une fête m'angoisse autant, tu sais…

Car, évidemment, Bill avait tout d'abord refusé de se rendre chez quiconque. Agnès était arrivée à le convaincre qu'il ne pouvait pas décemment la laisser seule alors que tout le monde serait de sortie. Elle développa nombre d'arguments et conclut en lui expliquant que peu importait qu'ils ne fussent pas Juifs, après tout cette commémoration était un peu la leur également. Le gentleman en lui se rendit. Il irait le lendemain chez Agnès. Je devais à mon amie une fière chandelle parce qu'elle aurait dû normalement venir à la maison où, militaire ou pas, ma famille ne manquerait de rien, comme toujours grâce à elle. Nous dégusterions le msoky traditionnel. Ce plat incontournable, servi une fois l'an, était composé de toutes sortes de légumes et d'épices cuits à l'étouffé avec de la viande de mouton, une osbana et, ajoutée à la dernière seconde, de la galette ronde et épaisse, grossièrement rompue.

Les trottoirs étaient jonchés de cartons vides éventrés. Je m'approchai de Bill.

— Que dirais-tu d'un repas en amoureux? Parce que, aujourd'hui, je vais devoir rester très tard au bureau, à cause du travail. Agnès est très exigeante, ces temps-ci. Je ponctuai ma demande d'un clin d'œil que j'espérai charmant, usant de tous les stratagèmes pour le dérider. On pourrait aller à Nabeul, rien que toi et moi.

J'entortillai ma mèche autour de mon doigt. Je pourrais tromper facilement la vigilance de ma famille ce soir. La nouvelle de la distribution des cadeaux faite par les Américains s'était répandue depuis plusieurs jours déjà, créant une euphorie sans précédent. Esther et mon père me savaient débordée, jamais ils ne douteraient de la raison de mon absence.

Il ne put me résister et nous passâmes tous les deux quelques heures merveilleuses loin de la folie de cette semaine, sans éveiller le moindre soupçon. Il me raccompagna à la maison vers minuit, me déposa comme d'habitude au coin de la rue et me donna rendez-vous pour le lendemain matin, jour de fête, où le Tunis juif se préparerait à sortir d'Égypte.

Dès six heures du matin, les rues se remplirent à nouveau de civils et de militaires. Agnès et Mady m'attendaient. Elles voulaient que je participe à la distribution de taliths devant la synagogue. J'assistais, méduseé, à l'ouverture de ces paquets contenant le châle de prière, en laine écru agrémenté de bandes de soie colorées. Les hommes s'en drapèrent en pleine rue tandis que des orchestres improvisés jouaient des chants hébraïques.

Ces célébrations me redonnèrent espoir en une issue proche. Elles me renforcèrent également dans mon penchant pour l'Amérique ainsi que pour mon amour de Bill qui était, à mes yeux, son digne représentant.

Une dizaine de jours plus tard, mai s'annonça splendide, chaud et enveloppant comme les bras de Bill autour de mes épaules. Je réussissais à grappiller quelques minutes et, peu à peu, j'acquérais une forme toute relative et précaire de semi-liberté. La raison en était simple : les événements n'avaient de cesse de se bousculer, le travail requérait des heures supplémentaires et me fournissait un alibi bien involontaire. Nous sortions manger pendant l'heure du dîner et l'embrasser était ce que j'aimais le plus. Nous nous embrassions tout le temps, énormément, passionnément. Parfois, mes lèvres, mes joues, mon cou étaient tout irrités. Il me disait alors qu'il était désolé et promettait de se raser de plus près. Cela ne faisait aucune différence. Mon inquiétude de rencontrer quelqu'un que je connaissais durant nos quelques escapades s'amenuisait, parce que le monde que je fréquentais alors n'appartenait plus à l'ancien. Tout autour de moi basculait, particulièrement mes repaires. Je me rendais dans des restaurants cosmopolites, des magasins chics, parfois des plages pour touristes. Bill payait tout. La seule fois où j'avais exprimé des velléités de partage avait été la dernière. Je craignais cependant toujours qu'Esther, devenant par trop suspicieuse, alerte mon père et surtout mes frères. Je n'arrivais pas à comprendre comment elle ou les autres ne voyaient rien. Il me semblait que tout mon corps irradiait, que ma posture, mon sourire permanent, mes yeux brillants me trahissaient à tout instant. J'avais changé.

Ce 7 mai 1944, nous étions au vélodrome du Belvédère où le général de Gaulle devait prononcer un discours à l'occasion du premier anniversaire de la libération de la ville. Nous étions venus en Jeep, parce que l'endroit se situait au bout de l'avenue de Lesseps. Bill m'avait laissé conduire. J'avais emprunté la place Pasteur, très achalandée, et j'étais fière de mes prouesses de conductrice. Nous nous trouvions au nord du parc. Ce lieu était le plus beau de Tunis, une aire de repos verdoyante en pleine cité. On pouvait s'y promener à pied, en voiture ou à cheval, s'y rafraîchir à l'ombre d'un bosquet ou au bord du lac. Il y avait même un casino à l'entrée.

Tout le service s'y trouvait et Bill ne tenait pas en place à côté de moi, excité comme une pile électrique.

— Son entourage m'a promis une interview par le biais du service. Tu te rends compte, Sarah, je vais interviewer le général de Gaulle!

— Tu me l'as déjà dit cent fois. Regarde, murmurai-je en le voyant apparaître sur l'estrade, je crois qu'il est encore plus grand que toi!

Il ne m'entendait plus. Stylo et calepin à la main, il transcrivait à toute vitesse les points capitaux. Moi, je lisais par-dessus son épaule, tout en écoutant :

> Sur la route qui mène à la victoire, nous célébrons aujourd'hui le premier anniversaire de la libération de la Tunisie. [...] C'est ici qu'échouèrent définitivement les tentatives d'Hitler pour dissocier notre Empire et les absurdes prétentions élevées par Mussolini sur la Tunisie liée à nous pour toujours. [...] Tout

annonce, cependant, que le déploiement des Forces de la coalition est très proche. [...] Ce qui a été accompli depuis un an sur le territoire métropolitain dans quel terrible isolement et à quel prix pour affaiblir la machine de guerre allemande, fera peut-être un jour quelque impression sur ceux qui doutaient de la France. [...]

Comment pourrais-je manquer de souligner les progrès que la compréhension réciproque des Français et des Tunisiens, et l'espoir que le peuple de la Régence nourrit légitimement dans son développement propre, sous l'égide et avec l'aide de la France, ont accomplis depuis une année ? [...]En vérité, nous autres, Français, ne nourrissons ni doutes ni craintes. Car nous savons où est la France. [...] À ceux qui n'auraient pas les mêmes certitudes, nous proposons d'entendre et de voir Tunis aujourd'hui rassemblé comme l'étaient hier Ajaccio, Alger, Oran, Constantine, Casablanca, Dakar, Brazzaville. [...] Mais, au moment où les armées de la liberté s'apprêtent à porter sur notre sol les péripéties et les destructions du combat, nous souhaitons ardemment que les réalités françaises soient décidément reconnues. Elles seules, pour commencer, pourront servir de bases à ces arrangements pratiques qui permettraient aux armées alliées et à leur

Commandement, lorsqu'ils prendront pied sur le sol de la Métropole, de se concentrer sur leur tâche qui est et qui doit demeurer exclusivement stratégique. Nous regrettons d'autant plus l'interruption actuelle des communications entre le gouvernement français et ses représentants diplomatique et militaire à Londres, mais, en dépit de cet obstacle comme de tous autres, nous sommes parfaitement confiants quant à l'issue de la grande bataille qui fera fuir l'ennemi détesté. Nous sommes tout à fait assurés que la France pourvoira seule à ce qui est de la France. [...]

Ils ont résolu d'aller à leur place, c'est-à-dire là où les appellent leur Histoire, le génie de leur race, le rôle qu'ils ont toujours joué parmi les grands peuples du monde. [...] Vis-à-vis des États, des territoires, des populations, qu'ils ont la charge de conduire vers un destin meilleur, et d'abord vis-à-vis de la noble Tunisie. En Europe, à laquelle ils tiennent et qui tient à eux par un lien si étroit qu'on les déchire quand on la déchire et qu'elle-même sans eux serait vouée au chaos, en Europe qui demeure la grande source de l'activité des hommes et celle même de la richesse, les Français veulent, une fois l'ennemi chassé, être, à l'Ouest un centre de coopération directe et pratique, et vis-à-vis de l'Est, c'est-à-dire d'abord de la chère et puissante Russie, une

alliée permanente. [...]
France, France douloureuse, France glorieuse,
France nouvelle, grande France, en avant[1] !

— *Shit*! me dit-il en posant son crayon pour applaudir à l'unisson avec la foule.

— *Shit* quoi? Tu peux m'expliquer, demandai-je tout en observant Agnès du coin de l'œil, qui s'agitait sur son strapontin, comme une groupie, près de Mady.

— Eh bien, il a parlé de la Résistance française et de son travail extraordinaire, de la Tunisie en tant que protectorat, des Italiens et des Allemands, de la Russie en tant qu'alliée et ça, ça va poser un problème. Il a évoqué l'imminence d'un débarquement. Ensuite, il a clairement annoncé qu'il veut être maître chez lui. Bref, il nous a remis à notre place.

— J'en connais un à qui tout cela ne va pas plaire, murmurai-je plus pour moi que pour Bill. Et moi? demandai-je soudain en élevant la voix.

— Toi?

Bill me regardait, incrédule.

— Oui, Bill, moi, les Juifs quoi? Qu'elle sera notre place une fois que tout sera terminé?

Bill et Agnès échangèrent un regard embarrassé.

— Oh! Pas la peine de vous fatiguer tous les deux, nous sommes la dernière roue de la charrette. Bon, va voir ton grand

1. Extraits du discours prononcé par le général de Gaulle le 7 mai 1944 à l'occasion du premier anniversaire de la libération de la ville de Tunis, au Vélodrome du Belvédère. L'intégralité du texte est disponible sur le site suivant : www.charles-de-gaulle.org.

homme et tu me raconteras demain au bureau comment cela s'est passé.

Il m'embrassa et partit. Bill attendait énormément de cette entrevue, parce qu'il rêvait de devenir journaliste. Or, de Gaulle croyait en une presse forte, à la hauteur des événements qui se déroulaient. Il avait demandé à Hubert Beuve-Méry, dont Bill avait étudié les articles comme correspondant à Prague en 1934, de prendre les rênes d'un nouveau quotidien [1].

Je rentrai, consciente que, ces derniers mois, j'avais joué à cache-cache avec la guerre. À Tunis, la vie s'était appliquée à singer une ronde routinière.

À la maison, je trouvai Esther en larmes dans la cuisine.

— Que se passe-t-il, tu es malade ? m'inquiétai-je.

Ses pleurs redoublèrent. Elle s'assit, tordant son torchon machinalement et répandant sur le sol les épluchures de pommes de terre qu'elle préparait pour le repas du soir.

— Qu'y a-t-il ma chérie ? redemandai-je en prenant ma voix douce de petite fille.

Elle avait besoin de moi, de se débarrasser d'un fardeau trop lourd, alors elle parla et me confia ce que je n'aurais sans doute pas su, si je n'étais pas entrée en cet après-midi radieux de mai 1944.

— Tu te souviens de Jacques Bensoussan et des membres du réseau Pérussel ?

Je me rappelais que lui et les autres éléments de l'organisation clandestine avaient été arrêtés par les Allemands durant cette semaine terrible marquée du deuil. J'acquiesçai.

---

1. Il s'agira du *Monde*.

— Il semblerait qu'ils aient été dénoncés par un Arabe auquel ils faisaient pourtant entièrement confiance : Mohsen Ben Abdou.

La Tunisie avait connu la collaboration. Les patrouilles allemandes ne se déplaçaient dans la Hara qu'avec des Tunisiens vêtus comme eux de casques et d'uniformes.

— Mohsen, attends, ça me dit quelque chose. Ce n'est pas le commis qui travaille à la boucherie avec Bébert?

— Oui, c'est bien cela.

Sa voix se brisa.

Esther était épuisée. Je le notais depuis plusieurs semaines. Elle avait le teint terreux et les yeux creusés. S'occuper de mon père n'était pas si simple. Il ne faisait pratiquement rien de la journée, mais exigeait d'elle une présence constante. Il la considérait comme Mamina, oubliant qu'elle ne l'était pas, qu'elle était encore suffisamment jeune pour recevoir une ou deux amies pour le thé, ou pour aller prendre l'air au marché. Lui ne voulait voir personne en dehors de ses enfants et il la maintenait dans cette atmosphère de recluse, déchargeant sur elle toutes les angoisses qu'il s'interdisait de verser sur nous.

— Comment tu l'as su?

— Par la sœur de Jacques. David Melloul, celui qui faisait toujours le guet pour eux, a pu s'échapper par miracle. Il s'est caché un moment chez des membres de sa famille, au Sud. Là, il est rentré et il a tout raconté. Bébert est dans un état... Il a dit que, s'il le retrouve, il le tue. Jacob est d'accord, ils sont partis à Hammamet, chez sa femme, pour le chercher. J'ai peur qu'ils aient emmené Jules, parce qu'il est capable de tout, celui-là. Il ne va pas bien, tu sais. Simone est venue me voir et elle n'en peut plus. Elle veut aller voir le rabbin. Qu'est-ce que tu veux que je lui dise, moi? Qu'elle y aille chez le rabbin.

Esther sanglotait sans retenue entre mes bras. Nous demeurâmes longtemps enlacées. Bien sûr, Esther, une fois calmée regretta de m'avoir parlé et me fit jurer de ne rien dire à Émile. Je promis.

Une semaine plus tard, une fièvre commença à agiter le bureau. Agnès me fit appeler un jour.

— Sarah, je vais avoir besoin de toi. Il va se passer quelque chose et je veux que tu nous serves de traductrice.

— Moi? Pourquoi? Dans quelle langue? Tu as sûrement d'autres personnes très compétentes.

— Il y a d'autres personnes. Seulement, j'ai confiance en toi, Sarah.

— D'accord, je vais faire de mon mieux, répondis-je, perplexe.

— Merci, ma belle. On déménage au Centre des opérations, à El Aouina, m'annonça Agnès d'un ton enjoué, mais je sentais qu'elle cherchait juste à me donner le change, à me protéger. Le moment était venu d'avoir une petite conversation avec elle.

— Agnès, arrête de me prendre pour une gamine. Ça suffit, j'ai grandi.

Je la regardai droit dans les yeux, soutenant son regard sans ciller, lui prouvant que j'étais sérieuse.

— Oui, je sais et j'en suis consciente. C'est juste que c'est dur de perdre cette habitude, tu vois. Excuse-moi, c'est ridicule. Je vais faire un effort. Je te le promets.

Comme à l'accoutumée, nous prîmes la Jeep et il nous fut impossible de parler à cause du vent qui nous soufflait dans les oreilles. Après avoir passé les différents postes de sécurité et rejoint une pièce bruyante où de nombreux préposés s'agitaient avec des téléphones et des télégraphes, ma chef et meilleure amie put enfin me dire de quoi il en retournait.

— Voilà. Les Alliés sont encore en Tunisie parce qu'ils y ont préparé la campagne d'Italie. Prendre Hitler à revers, voilà ce qui constituait l'idée générale. Nous n'avons pu remonter que jusqu'à un certain point. On s'est heurté à des lignes de résistances fortes, très fortes même. Deux ont été brisées. Maintenant, les Alliés lancent une grande offensive sur le mont Cassin pour s'ouvrir une route vers Rome, à travers la ligne Gustave. Au mois de janvier, on a fait débarquer des croiseurs, des contre-torpilleurs, des barges de débarquement, diverses embarcations contenant quarante mille soldats et plus de cinq mille véhicules à Anzio. Il y a eu quelques problèmes, mais au moment où je te parle, des unités algériennes et marocaines du Corps expéditionnaire français sont sur place avec le 13e Corps britannique, le 2e Corps polonais et le 2e Corps américain. Aujourd'hui, nous assurons une plateforme stratégique et un relais d'information. En fait, il s'agit du point d'orgue de notre présence ici. On doit passer. Des messages arrivent toutes les secondes. Je suppose que tu as compris pourquoi j'ai besoin de toi.

— Bof, pas vraiment. Tout le monde parle ou le français ou l'anglais, rétorquai-je, un peu perdue.

— En théorie, Sarah, seulement en théorie. Tu vas le constater par toi-même.

Nous nous assîmes à l'une des larges tables et ainsi débuta ma mission de réception et de triage des dépêches. Je compris tout de suite ce qu'avait voulu dire Agnès. Je dus jongler entre l'arabe, le français et l'anglais par écrit et à l'oral. Les militaires marocains et algériens étaient ravis de m'entendre et, pour certains d'entre eux, leur soulagement était palpable. D'autres, au contraire, mettaient un point d'honneur à s'exprimer dans la langue de Molière qu'ils maîtrisaient, par ailleurs, parfaitement.

Nous étions le 12 mai, les Américains progressaient contre les défenseurs allemands, tandis que les Français rencontrèrent la 71e Division allemande le long de la ligne Gustave, ce qui leur permit de prendre le mont Faito. Le 2e Corps polonais, quant à lui, assuma de grosses pertes et dut reculer, tout comme le 2e Corps américain qui avança fort peu sur le flanc de la côte, à cause d'une forte résistance.

La journée passa en clin d'œil, à peine interrompue par quelques sandwichs que nous avalâmes à la hâte. Pour la première fois depuis longtemps, je n'avais pas pensé à Bill; aussi sursautai-je quand j'entendis sa voix derrière mon dos.

— Bout'ch, je te ramène à Tunis?

— Bill! Déjà là? Il est quelle heure?

— Tard, ma belle. Je vois que je ne t'ai pas beaucoup manqué aujourd'hui. En deux temps, deux mouvements, me voilà au rancart, oublié comme une vieille chaussette, dit-il en prenant un air penaud.

— Les vieilles chaussettes ne sentent pas aussi bon que toi, répondis-je en m'approchant de lui. On y va, s'il te plaît?

— Pas question de te laisser sans surveillance, blagua-t-il en me gratifiant d'un sourire ravageur.

Presque instantanément, son expression se transforma. Tout le monde s'évertuait à faire comme si tout allait bien.

Cependant, nous vivions des instants historiques et tous les mots ne pouvaient masquer que la fin de la guerre était proche. Le comment restait une incertitude de taille. La vie de milliers d'hommes était sur la sellette.

— Allez-y, ajouta Agnès, il me reste encore deux ou trois choses à faire. Bill, tu peux aller chercher Sarah et l'accompagner demain matin directement ici, cela me fera gagner du temps.

Bien sûr qu'il le pouvait ! Il se ferait même un plaisir de le faire et il me déposa chez moi où je m'effondrai exténuée par cette journée riche en émotions et en travail.

Le lendemain, le 13 mai, la 5ᵉ Armée américaine persista, nullement découragée par la situation des Polonais qui se butaient contre la 1ʳᵉ Division de parachutistes allemands tenant le point principal : Cassino. Le Corps expéditionnaire français prit Castelforte, ainsi que le mont Maio, et fit une percée vers le fleuve Liri, à Saint-Apollinaire, tandis que le 2ᵉ Corps américain et le 13ᵉ Corps britannique continuaient leur progression.

Les informations nous arrivaient, morcelées, au compte-gouttes. Parfois, c'était le contraire, et un flux de nouvelles cruciales nous assaillait, toujours en vrac. Il fallait vérifier et ne rien tenir pour acquis. Tout était consigné sur un tableau qui couvrait les murs de la pièce.

Le 14 mai, les attaques redoublèrent de force, les Français avancèrent après avoir pris Ausonia dans la vallée d'Aussente et poussèrent vers la prochaine ligne de défense allemande, alors que les Américains demeuraient coude à coude avec les Allemands. Le 18, les troupes polonaises s'emparèrent enfin de Monte Casino, symbole de la résistance allemande.

La nouvelle fut accueillie par des cris de joie étouffés. Trop d'hommes avaient péri pour que ce succès ait un vrai goût de victoire. Parmi mes collègues d'un jour, j'avais pu remarquer quelques Tunisiens, ce que nous n'avions pas au bureau central, en ville.

Alors que je demandais à Agnès la raison de leur présence, elle m'apprit un fait qui gonfla mon cœur d'orgueil.

— Ce sont des héros qui connaissent le terrain et qui nous aident à marquer les positions sur les cartes collées au mur. Ils ont été blessés. Certains repartiront au combat d'ici peu, d'autres non.

— Qu'ont-ils fait d'extraordinaire pour que tout le monde les traite avec tant de respect?

Elle sourit, sensible à mon sens de l'observation et à ma franchise de toujours.

— Ils appartiennent au 4e régiment de tirailleurs tunisiens. Ils ont combattu dans la région de l'abbaye du Mont-Cassin et réussi à franchir la ligne Gustave. Ils sont les rares survivants, la moitié du régiment et les trois quarts du commandement ayant péri.

Durant ces quelques jours, nous avions tous travaillé énormément, mettant nos vies personnelles de côté. Lorsqu'Agnès m'apprit que nous regagnions, pour l'instant, nos bureaux tunisois et notre routine, j'en fus soulagée, même si l'expérience que j'avais vécue m'avait ouvert les yeux sur ce que je voulais vraiment devenir : traductrice. Cela se trouvait là, sous mon nez, depuis toujours, et il avait fallu cette occasion pour que je le voie.

Le retour s'effectua dans une humeur morose. Des milliers de soldats étaient morts ces derniers jours et il m'était de plus en plus difficile d'être insouciante. Sournoisement, cette guerre me rentrait dans la peau. Mady connaissait la lourdeur des pertes italiennes et, sans notre soutien moral, cette réalité lui faisait encore plus mal. Quelques jours de plus et Mady en aurait pleuré. La pauvre s'était sentie bien seule au bureau et ce, bien qu'Agnès lui eut expliqué qu'elle devait garder le fort, ce qui avait fait hurler d'un rire forcé Bill, le cowboy.

Pour notre premier déjeuner entre filles depuis longtemps, nous décidâmes d'aller au *Café Bondin* sur la rue de l'Espagne. Nous partîmes bras dessus, bras dessous, profitant avec une joie renouvelée du plaisir simple d'être ensemble, ne sachant pas s'il y aurait un lendemain à cette escapade. Alors que nous cheminions, nous entendîmes nos prénoms. Lorsque nous nous retournâmes en un geste machinal, nous pûmes apercevoir Rina qui cherchait à nous rejoindre, presque à bout de souffle.

— Vous êtes sourdes ou quoi, cela fait au moins deux cents mètres que je vous cours après, comme une folle, sur le trottoir!

— Bonjour, Rina, répondis-je simplement. Nous aussi, on est ravie de te voir. Tu viens prendre un café avec nous?

— Oui, avec une carafe d'eau… Je suis épuisée.

Elle en avait l'air. Ses traits étaient tirés, ses yeux légèrement bouffis et son rouge à lèvres habituel semblait jurer avec son teint. Nous nous installâmes à une table en terrasse et Rina attaqua bille en tête.

— Vraiment, merci, les filles! Je sais bien que je ne suis pas l'une des vôtres à part entière, mais quand même… Depuis l'anniversaire de Sarah, plus rien, silence complet. J'essaye de vous joindre depuis plus d'une semaine, vous êtes introuvables. Je ne voulais pas sonner chez Esther, pour ne pas faire d'histoires, je la connais… mais j'allais m'y résoudre parce que…

— Calme-toi, voyons, lui dis-je en caressant son épaule nue sous son écharpe de mousseline turquoise. Bien sûr que tu es des nôtres. Tu es comme une sœur pour moi et Agnès et Mady pensent la même chose, j'en suis sûre.

Mes compagnes opinèrent tandis que mes paroles la berçaient comme une enfant. Je la sentais se détendre peu à peu.

Quelques instants passèrent et, sous nos regards interloqués, elle fondit brusquement en larmes. Elle pleurait à gros bouillons de la façon la plus erratique, bruyante et gênante du monde. Avant que nous puissions lui trouver un mouchoir, elle se saisit d'une des serviettes blanches de l'établissement et se moucha dedans.

— C'est fini… Voilà, je suis calme maintenant, insista-t-elle en continuant de hoqueter. Non, vraiment parfaitement calme.

Effectivement, elle semblait se recomposer lentement devant nous. Mady prit la parole pour détendre l'atmosphère.

— Tu voulais nous voir, c'est drôlement gentil ça. Et pourquoi?

Je craignis le pire, l'espace fugace d'une seconde, mais non, Rina se redressa et théâtralement nous annonça :

— Parce que je me fiance dimanche prochain…

Le temps que l'information s'empare de mes neurones, seul le son «Oh» put franchir mes lèvres.

— Mabrouk! Mabrouk mille fois, ajoutai-je, retrouvant mes esprits.

— Oui, félicitations, reprirent en cœur Agnès et Mady.

— Alors, Albert s'est finalement décidé? demanda Agnès. Tu avais tort de t'inquiéter.

— Oui, il s'est décidé. En fait, il n'a pas eu le choix.

Tout à coup, ma vue se brouilla et l'évidence m'apparut. Le teint verdâtre, les pleurs excessifs, les nerfs exacerbés…

— Oui, continua Rina, un sourire un brin cruel sur ses lèvres, je suis enceinte!

Alors, tu l'as fait! Tu l'as obligé à t'épouser. Rina, ce n'est pas juste pour aucun de vous trois! explosai-je en désignant son ventre de la main.

Je n'avais pas pu m'abstenir de le dire. Je pensais aussi à Albert, victime et bourreau dans ce jeu de la séduction. Ma sœur de lait me décevait et je ne pouvais m'empêcher de la juger. L'amour d'un homme ne se gagnait pas de cette manière et Rina n'y conquérait pas son respect. De cela, j'en étais persuadée.

— Vas-y, Mademoiselle Sainte Nitouche, dis-le pour vous quatre pendant que tu y es. Je me fiche de ce que tu penses, je devrais retirer mon invitation, mais je ne le ferai pas, pour la mémoire de Mamina. Tu peux amener tes goys avec toi. Je me fiche bien de ce vous pensez, toutes!

Elle se leva, furibonde, et nous laissa plantées toutes les trois. À ce moment, je me rendis compte que pas une seule fois la possibilité de tomber enceinte ne m'avait effleurée. Mon père me jetterait dehors. Je m'en ouvris à Agnès et celle-ci me rassura.

— Aucune importance, tu viendras chez moi!

— Merci, mais c'est avec Bill que je désire vivre, objectai-je simplement.

16

Il ne mettait jamais venu à l'esprit de ne pas aller aux fiançailles de Rina. Nous avions été quasiment élevées ensemble et Mamina lui avait donné le sein. De plus, elle était le seul témoin de mon passé. De mon enfance, il ne demeurait plus aucune trace. Envolées mes amies des terrasses, disparues mes copines de classe. Où était passé la petite fille espiègle qui enviait les jeux de garçons, les épiant s'exercer au tir de noyaux d'abricots? Perpendiculaire à un mur, une ligne grossièrement marquée à la craie à trois mètres de distance, avec trois ou quatre camarades, ils lançaient à tour de rôle le «pouce», tentant de déloger ceux des autres et de remporter tout ce qui se trouvait entre celui-ci et le pan. Et le cri de Mamina qui me cherchait partout pour que j'aille acheter un peu de sucre. Rina seule savait vraiment d'où je venais.

Le lendemain, Mady et Agnès me rejoignirent pour déjeuner comme d'habitude et j'étais un peu contrariée, car Bill ne pouvait pas manger avec nous.

Nous marchions quand Agnès proposa négligemment.

— Et si nous allions faire du lèche-vitrines?

Nous nous trouvions non loin du centre-ville et nous flânions entre les boutiques élégantes, lorsque Mady nous fit signe de la main.

— Regardez, ce serait parfait pour Rina, dit-elle en nous désignant une ravissante soupière et son plateau de service en porcelaine, finement décorée de roses et d'un treillis de feuillage.

— Il faudrait prendre aussi la louche, ajouta Agnès en franchissant l'entrée du magasin.

— Vous n'êtes pas obligées...

— Qui te parle d'obligations? répondit simplement Agnès.

Voici comment, le dimanche après-midi, chargées de notre fragile cadeau, nous franchîmes la porte de la maison de Rina, espérant que notre amitié en ressortirait solidifiée.

Le salon avait été très joliment décoré et la énième femme de son père avait accompli des efforts remarquables pour gagner les faveurs de sa belle-fille.

Les fiançailles n'étaient pas courantes chez les musulmans, il s'agissait plutôt d'un standard européen que certains Tunisiens empruntaient pour faire chic.

Dans le cas de Rina, cela ressemblait plutôt à un harponnage en bonne et due forme. D'ailleurs, les rondeurs de la fiancée l'exigeaient. Nous bûmes du thé à la menthe, mangeâmes des gâteaux au miel et ouvrîmes des paquets-cadeaux. Albert ne prononça pas une parole. Je crus même le voir essuyer une larme du revers de sa main.

Agnès sembla bizarre durant tout l'après-midi. Au moment où nous quittions la réception, elle me prit par le bras et me glissa sur le ton de la confidence.

— Bill voulait te parler ce soir, je lui ai donné l'adresse de Rina, j'espère que cela ne te dérange pas.

— Voyons, aucunement.

Il était déjà dix-neuf heures et je fus emballée d'apercevoir la Jeep au bout de l'allée, même si une petite boule s'était nichée au creux de mon estomac. Nous prîmes la corniche du bord de mer. Il faisait vraiment chaud et Bill s'arrêta au détour d'un point de vue magnifique formé par les circonvolutions de la route. À cette heure du crépuscule, l'eau de la Méditerranée se confondaient en un camaïeu de bleus dont la touche la plus subtile se lovait dans les prunelles que Bill tourna vers moi. Sa façon de me prendre dans ses bras acheva de faire grossir mon angoisse.

— Sarah...

Depuis quand m'appelait-il Sarah ? Mon cœur se mit à battre, ma respiration se coupa.

— Je pars demain.

Là, ma palette vira aux gris, le taupe, celui de plomb, pour finir à l'anthracite. J'avais l'impression qu'une moitié de moi-même venait de quitter mon corps, par mes pieds. C'était un peu comme lorsque, enfant, je regardais mon ombre sur le trottoir en me demandant si elle m'appartenait vraiment ou si elle avait une vie propre. Alors, je faisais des gestes pour la tester, la déformer, l'apprivoiser. À cette nouvelle de Bill, une partie de moi avait rejoint mon ombre.

— Je suis au courant depuis plusieurs jours que mon départ est imminent, mais je ne savais pas exactement quand. Je viens de recevoir mon ordre d'embarquement.

Rien, pas un son ne pouvait sortir de ma gorge.

— Sarah, Sarah, tu m'entends ?

Je fis un geste de la tête.

— Écoute-moi bien. Tu es forte, bien plus que tu ne l'imagines, nous allons survivre à tout ceci. Tu te souviens quand je t'ai parlé de mon université, je veux devenir journaliste, voici pourquoi ils m'ont affecté ici. Je pars rendre compte de ce qui va se passer, témoigner. Je serai moins exposé que les autres, tu ne dois pas avoir peur. Et puis, je t'écrirai. Quel piètre officier de transmission ferais-je si je n'étais pas capable de te faire parvenir une lettre?

Il m'envoya le plus pauvre sourire de l'histoire de l'humanité.

— Maintenant, je veux que tu sois très attentive.

Il sortit de sa poche une large enveloppe en papier jaune repliée sur elle-même.

— Voici des papiers très importants pour toi. Je veux que tu me comprennes bien. S'il devait m'arriver quelque chose, je veux que tu aies le choix. C'est ça, Sarah, la liberté, c'est avoir le choix. L'obéissance, c'est son absence. Tu as tous les formulaires d'immigration valables pour trois ans, signés par tout ce qui compte d'officiers sur le territoire tunisien ainsi que l'adresse de ma mère. Je lui ai parlé de toi, elle t'accueillera à bras ouverts et elle t'apprendra même à cuisiner!

Mes larmes commencèrent à couler, silencieusement.

— Il y a aussi une lettre de recommandation pour mon université, pour que tu puisses devenir traductrice, et aussi des dollars pour le voyage. Je sais que tu donnes presque tout ton salaire à ta sœur.

J'étais secouée de sanglots incontrôlables.

— Je voudrais juste que tu gardes quelque chose de moi.

Il enleva de son cou une fine chaîne au bout de laquelle pendait une médaille.

— Ma mère me l'a donnée pour ma première communion. Elle l'avait achetée en Italie, avec mon père, durant leur voyage de noces. Voici Saint Antoine de Padoue, le patron des

246

naufragés et des prisonniers. Il aide aussi à retrouver les objets perdus. Avec son aide, rien ne peut nous arriver.

Il fit glisser dans le creux de ma paume le bijou, tout chaud du contact de sa peau. Je me jetai dans ses bras et ne sus que lui proposer, avec désespoir :

— Emmène-moi chez toi, Bill, s'il te plaît.

— Non Sarah, dit-il doucement, je ne peux pas partir en pensant que je te laisse peut-être dans l'embarras.

Nous avions les mêmes valeurs et c'est ce qui aujourd'hui me faisait souffrir. Il n'y avait plus rien à ajouter. Nous restâmes un long moment enlacés. Il me berçait comme on console un enfant, me caressant les cheveux, baisant mon front, respirant mon odeur. Puis, il me déposa à l'angle habituel au bout de ma rue. Je l'embrassai passionnément puis sautai délibérément de la voiture, écourtant les adieux inutiles. J'entendis la Jeep derrière moi, il freina et lança une dernière fois.

— N'oublie jamais que je t'aime, dit-il.

Je me retournai désespérée, m'accrochai à la portière.

— Quand tu rentreras, je veux que tu viennes chez moi, immédiatement. Bill, je suis prête depuis longtemps à t'y faire une place… Seulement, je ne m'en rendais pas compte. Maintenant, je suis sûre de moi, aussi sûre que je l'étais la première fois, dans ta chambre. Je vais t'attendre en sachant que tu vas revenir vers moi, parce que nous nous attirons comme des aimants, parce que l'un sans l'autre la vie n'a pas de sens, parce que si cette guerre en a un, c'est grâce à notre amour, parce qu'avec toi à mes côtés, je suis prête à affronter Bou Saadié.

Ma phrase s'étouffa dans un sanglot. Il essuya mes larmes de ses longs doigts, enroula ma mèche de cheveux autour de ses phalanges et se retourna.

La voiture accéléra. Il disparut dans la nuit, comme un rêve merveilleux se dissipe au petit matin. Je remontai la rue, serrant contre moi ma précieuse enveloppe où j'avais glissé la délicate chaîne dorée, que personne ne devait voir. Je m'engouffrais dans le trou noir que formait le renfoncement de la porte de mon immeuble quand un homme en surgit, m'attrapa par les épaules et me secoua si fort que mes dents s'entrechoquèrent. Il était à peine plus grand que moi et alors qu'il me serrait contre lui, son haleine pestilentielle me fouetta les narines. Cet homme était ivre, il sentait un mélange de boukha et de whisky. Je me trouvais au bord de la nausée lorsqu'une voix pâteuse que je connaissais me hurla dans les oreilles. Mon frère Jules se tenait devant moi, sa raison vacillante comme le reste de son corps.

— Traînée, tu es une traînée. C'était lui, ton Américain, celui avec qui tu t'affichais, main dans la main à Nabeul. ON T'A VUE, traînée.

Il continuait à hurler et maintenant, moi aussi je l'accompagnais, révulsée et terrifiée.

— Tais-toi! me commanda-t-il, alors que j'entendais les portes des appartements s'ouvrir. Tu ne comprends rien! Les Arabes, ils nous ont vendus aux Allemands, les Français aussi. Les nôtres, ils nous ont envoyés travailler, nous le peuple, à la place des riches. Et maintenant, les Américains, ils prennent nos filles! Et à nous, il nous reste quoi? Des glibettes, comme celles qu'on jette aux singes au zoo? Tu crois que ton frère est un singe, un animal, un moins que rien, c'est ça que tu penses?

À partir de cet instant, mes cris ressemblèrent à des vociférations. Je sentais mes mâchoires se tendre sous la tension de ma bouche béante.

— On ne peut pas dormir, vous pouvez arrêter ce vacarme! cria Moncef, bientôt rejoint par Fathia, nos voisins d'immeubles.

Jules me menaça.

— Et tu veux me faire des ennuis, en plus, sale petite garce. Je suis ton frère, oui, ton frère et c'est mon devoir de te remettre dans le droit chemin.

Je vis sa main droite se lever à la hauteur de mon visage et, tandis que j'anticipai un coup, ses doigts agrippèrent mes cheveux.

Il exerça une telle traction que je baissai la tête et me retrouvai cassée en deux. Ma main droite s'éleva à mon cuir chevelu, tentant de soulager l'énorme pression, tandis que la gauche restait cramponnée sur l'enveloppe.

Il commença à marcher, je trébuchai et il me traîna sur mes genoux vers les escaliers. Alors que je rencontrais la première marche, je basculai complètement en avant et laissai aller ma carcasse épuisée. Il me trimbala ainsi, comme un chien au bout d'une laisse, sur tout un étage. Puis, sur le palier, mon corps pivota. Mes épaules, mes hanches, mon dos rebondirent sur le nez des degrés de marbre du deuxième niveau. Mes jambes, bringuebalées, heurtèrent la rampe en fer forgé de style Art déco et se tailladèrent sur les angles cassés.

Sur mon palier, un brouhaha satura l'air.

À moitié inconsciente, j'entendis Esther hurler et mon père asséner à Jules un coup de poing d'une force si vive que celui-ci me lâcha. La douleur du sang circulant à nouveau librement dans mon crâne transperça avec fulgurance mon corps parcouru d'un grand spasme.

Avant de m'évanouir, je vis, au ralenti, ma mèche de cheveux, celle de mon enfance dont le toucher me rassurait tant, tournoyer puis tomber au sol.

Je n'avais pas lâché l'enveloppe.

17

J'étais en apesanteur, comme un planeur.
J'entendais ma sœur et ses pleurs.
Je voulais la consoler de tout mon cœur
Douleur, douleur, douleur…
Quel était ce bruit de moteur?

J'étais réveillée.

Où avais-je donc pêché cette comptine insensée? Je pensais l'avoir ressassée des heures et des heures. J'en avais la nausée.

Je me forçai à ouvrir les yeux. Rien, juste le plafond. À droite, je tournai légèrement la tête. Cela me faisait mal et pourtant c'était mou. À gauche, un ventilateur — pas encore s'il vous plaît — qui couinait, chaque fois que ses pales, vieilles comme Hérode, heurtaient l'axe principal.

J'avais soif, il faisait une chaleur — pitié — insupportable. La porte grinça et s'entrouvrit.

— Tu es réveillée, ma chérie?

Ma chérie…? Je devais être bien mal en point.

— Oui, tu peux arrêter ce machin, le bruit résonne dans ma tête.

Je ne reconnaissais pas ma voix.

— Il fait tellement chaud… Bon, tu veux boire un peu?

Esther approcha un verre d'eau de fleur d'oranger avec du sucre mal dissous à la hauteur de mes lèvres et je vomis ce qui m'était resté sur l'estomac. Cela me libéra, comme si je venais de vomir tout ce qui pesait sur ma vie : la mort de ma mère, la désertion de mon père, nos rêves de diplômes à ma sœur et à moi, la guerre, le mariage arrangé de Ninon, la grossesse de Rina, la folie de Jules, le départ de Bill…

— Mon enveloppe, où est mon enveloppe?

Je paniquai, c'était tout ce qui me restait de lui, maintenant.

Irène, Ninon, Yolande, Germaine arrivèrent à la rescousse. Tout le monde était là ou quoi? Elles se montraient efficaces, lavaient, séchaient mes draps, mon oreiller, ma chemise de nuit trempée. Je suppliai que l'on me donne mon enveloppe jaune.

Soulagée, je la sentis enfin entre mes doigts. Elle n'était pas perdue. Je sombrai doucement dans un sommeil plus calme, alors que je me revoyais, poussant la porte jaune des livraisons derrière laquelle se trouvait Bill.

Je les entendis parler. Le docteur Scialom avait prescrit beaucoup de repos… et des bouillons. Je me rendormis.

Il faisait noir maintenant. C'était la nuit de je ne savais pas quel jour. Je soupirai «Ah! Iomi[1]», l'appel à la mère, les mots que l'on dit lorsqu'on souffre. Je me rendormis. Alors, c'était donc vrai que lorsque la maladie touchait un être, celui-ci retrouvait le son de sa langue maternelle.

— Sarah, tu as de la visite.

Agnès et Mady se tenaient sur le seuil de ma chambre. L'une avait l'air d'un pitbull, l'autre d'un cocker. Derrière elles se dessinait une troisième silhouette, Rina. Elles s'assirent au bord de mon lit. Elles me caressèrent les bras, la joue, me firent avaler quelques cuillerées de consommé de poulet.

---

1. «Maman» en judéo-arabe

— Si, mais si, encore une, répétaient-elles. Ça sent si bon. Hum, Esther est un vrai cordon-bleu.

Mes amies étaient là pour moi, comme je l'aurais été pour elles. Esther toussa, attirant notre attention.

— Mesdemoiselles, la visite est déjà terminée, le docteur a ordonné beaucoup de calme.

Les trois jeunes femmes se levèrent à l'unisson, pourtant je retins Agnès par le bras.

— Reste un peu, s'il te plaît.

Mady et Rina hochèrent la tête et sortirent rejoindre les autres dans la salle à manger.

— Qui y a-t-il donc? demanda-t-elle doucement.

Je cherchai à reprendre mes esprits, à paraître cohérente. Elle ne me pressa pas et attendit sur le bord de mon lit, à la même place que celle que j'occupais auprès de Mamina, au renflement des bosses du matelas de laine.

— Voilà, commençai-je. Je voudrais savoir pourquoi tu m'as choisie, moi, et pas une autre, le jour de l'embauche.

— Je n'ai pas engagé que toi. Nous avons embauché des tas de gens ce jour-là.

Je m'impatientai et je gigotai dans mon lit, ce qui réveilla la douleur dans mon crâne.

— Tu sais très bien ce que je veux dire.

Ce fut Agnès qui, cette fois-ci, prit son temps.

— Je ne sais pas, soupira Agnès, une évidence, une nécessité. Tu es rentrée dans mon bureau, comme les autres candidates, et puis je t'ai oubliée, et ensuite j'ai levé les yeux sur toi. Une enfant perdue dans un monde de grandes personnes qui criait à l'aide de tout son corps. J'ai écouté ton histoire...

La voix de mon amie se brisa. Elle refoulait des pleurs prêts à se rendre, après un siège qui avait duré de nombreuses années...

— Ton histoire, c'était la mienne, mais à l'inverse, murmura-t-elle. Deux pièces d'un puzzle s'ajustant parfaitement. Moi, j'ai quitté une mère qui ne servait à rien et perdu un père que je ne pourrai jamais remplacer : toi, tu avais perdu ta mère et ton père... Sarah, je voulais t'aider et, en fait, tu m'as donné une leçon. Tu es bien plus forte que moi, bien plus forte que tu ne crois.

Elle se pencha et m'enlaça, inconsciente du fait qu'elle venait de prononcer les mêmes paroles que Bill, avant de me laisser. Nos boucles mêlées sur mon oreiller, nos larmes confondues sur les draps blancs et empesés de ma mère. Vous pouvez bien aller vous faire foutre, vous tous, avec votre intolérance, vos préjugés et votre racisme... Nous, nous nous aimions.

***

— Sarah, tu dors ?

Germaine s'était plantée aux pieds de mon lit. Elle avait l'air encore plus petite, debout comme ça.

— Approche-toi, je te vois mal.

Ma tête me faisait moins mal, mais tout mouvement se révélait encore malaisé.

Germaine bougea doucement et avec elle, le cintre qu'elle avait emporté.

— Je voudrais te montrer quelque chose.

254

Elle éleva à la hauteur de mes yeux une robe noire affreuse, recouverte de ruchers ridicules de haut en bas.

— Merci, me hasardai-je

— Non, me coupa-t-elle. Écoute bien. Je voudrais te confier mon plus grand secret, parce que tu es ma petite sœur et que toi et moi, ce n'est pas pareil.

J'aurais voulu lui demander ce qu'elle entendait par là, mais elle jetait de petits coups d'œil rapides et inquiets en direction de la porte. Elle continua.

— Regarde, chaque plissé est exactement de la taille d'un billet de cent francs. Chaque fois que je gagne quelque chose, je mets la moitié de côté. Après, j'attends que cela fasse le compte et je glisse la coupure dans le pli… Tu ne dis rien?

— Pourquoi? Germaine, tu peux les mettre à la banque. Agnès va t'aider si tu veux ouvrir un compte…

Elle secoua la tête énergiquement.

— Voyons, tu ne comprends pas. Un jour, il faudra partir, Sarah. Ils ne nous laisseront pas rester, ni emporter quoi que ce soit. Ce jour-là, toi et moi, on sera prêtes.

Et les autres? pensai-je. La prévoyance de Germaine, contre toute attente, me questionnait sur le sentiment de mes frères et sœurs. C'était cependant pour Esther que je m'en faisais le plus. Quel était son avenir? Mon père vieillissant, mes sœurs songeant apparemment au départ, que ferait-elle seule? Elle nous avait fait le don de sa vie et resterait à tout jamais l'unique fille Ouzari sans mari. Nous ne pourrions concevoir de l'abandonner derrière nous, nos enfants remplaceront les siens, tout comme elle s'était substituée à notre mère, sans un mot, sans une plainte. Elle irait où nous irions. Je m'en fis le serment.

Germaine souriait, satisfaite et rassurée, pour un temps du moins. Elle embrassa ma main et quitta la chambre.

***

Le docteur Scialom revint me voir ce matin et il me trouva mieux. Il m'autorisa à marcher dans l'appartement et à me reposer sur une chaise longue sur la terrasse.

Alors que je prenais un peu de soleil, j'entendis des cris dans la rue. Bientôt, au-dessous de mon balcon, un attroupement se forma. Les fenêtres des immeubles voisins s'ouvrirent.

— Qu'est-ce qui se passe ? me hurla la grosse Yasmina depuis son quatrième étage.

Je lui fis signe que je ne savais pas. Tout à coup, un homme cria, les mains en porte-voix.

— Ils ont débarqué, ils ont débarqué en Normandie !

Mes doigts saisirent la chaîne en or que je portais maintenant autour du cou et au sujet de laquelle personne ne s'était encore risqué à me poser des questions.

***

À l'heure du thé à la menthe et des biscuits aux amandes, quelqu'un frappa à la porte. Esther, qui n'attendait personne à cette heure de l'après-midi, retira son tablier de ménage et partit ouvrir. Madame Taieb, mon professeur de français de dernière année, se figea, hésitante, au milieu du salon.

— Je ne veux pas vous déranger, juste demander des nouvelles de notre Sarah.

Elle s'assit, but une gorgée de la tasse qu'Esther avait posée
devant elle avec autorité.

— Tu nous as manqué à la rentrée, commença-t-elle.

Je gardais la tête baissée. Il s'était passé tant de choses depuis que la petite écolière, en tablier à carreaux et nattes pour
éviter les poux, avait quitté l'école.

— Tu étais une bonne élève, excellente même. Tu possédais
un regard très original sur les choses. Tes compositions dépei-
gnaient... oui, c'est le mot juste, tu coloriais la vie avec subtilité... C'est rare. Écoute, je suis venue aujourd'hui parce que
j'ai entendu ce qui t'est arrivé. Alors, depuis plusieurs jours, je
me dis que je pourrais te donner un poème assez spécial. Tout
le monde y trouve son compte. Toi, je sais que tu y chercheras
plus encore.

Elle me tendit un papier d'écolier, à rayures Séyès, aux
bords effrangés, témoignant de son appartenance récente à un
cahier Clairefontaine français.

— Je suis désolée, je ne peux pas lire, madame. Cela me fait
trop mal à la tête.

Un mensonge pour entendre encore une fois sa voix d'institutrice qui, pour moi, symbolisait l'école, comme le cri du chef
de gare, le départ.

— Ce poème a été écrit par Paul Éluard, en 1942. Il est
extrait du recueil *Poésie et Vérité* :

Liberté

Sur mes cahiers d'écolier
Sur mon pupitre et les arbres
Sur le sable sur la neige
J'écris ton nom
Sur toutes les pages lues
Sur toutes les pages blanches
Pierre sang papier ou cendre
J'écris ton nom
Sur les images dorées
Sur les armes des guerriers
Sur la couronne des rois
J'écris ton nom
Sur la jungle et le désert
Sur les nids sur les genêts
Sur l'écho de mon enfance
J'écris ton nom
Sur les merveilles des nuits
Sur le pain blanc des journées
Sur les saisons fiancées
J'écris ton nom
Sur tous mes chiffons d'azur
Sur l'étang soleil moisi
Sur le lac lune vivante
J'écris ton nom
Sur les champs sur l'horizon
Sur les ailes des oiseaux
Et sur le moulin des ombres
J'écris ton nom

Sur chaque bouffée d'aurore
Sur la mer sur les bateaux
Sur la montagne démente
J'écris ton nom

Sur la mousse des nuages
Sur les sueurs de l'orage
Sur la pluie épaisse et fade
J'écris ton nom

Sur la vitre des surprises
Sur les lèvres attentives
Bien au-dessus du silence
J'écris ton nom

Sur mes refuges détruits
Sur mes phares écroulés
Sur les murs de mon ennui
J'écris ton nom

Sur l'absence sans désirs
Sur la solitude nue
Sur les marches de la mort
J'écris ton nom

Sur la santé revenue
Sur le risque disparu
Sur l'espoir sans souvenir
J'écris ton nom

Et par le pouvoir d'un mot
Je recommence ma vie
Je suis né pour te connaître
Pour te nommer
Liberté.

Je connaissais très bien la poésie arabe. De vocation orale, elle occupait une place de choix dans l'univers de nos mères et grand-mères analphabètes. Déclamée à la veillée, ou chantonnée pendant les longues heures de travail, elle puisait son inspiration dans la nature environnante, la transcendant. Ses vers offraient une telle communion entre le sens et la sonorité que leur traduction était difficile, réductrice et frustrante.

Cependant, Paul Éluard n'était pas un Tunisien. Je lisais et relisais cette incantation, m'imprégnant de chacun de ces mots, me berçant de son «francisme», de son rythme et de sa mélodie, pourtant orpheline de rime : un hymne à l'espoir. Je me fondais dans ces images qui parlaient si étrangement bien de moi, décrivaient mon enfance, mon pays, ma vie. Et de l'azur d'un bleu azreq, toile vierge et universelle de nos obsessions. Je pensai à tous les militants de par le monde, pour qui le martèlement de ces certitudes apposait un baume calmant sur les plaies les plus lancinantes, et qui s'en trouvaient transportés vers l'évidence : la liberté. Je me souvins de l'écolière qui bredouillait le poème de Victor Hugo : «Demain, dès l'aube, à l'heure où blanchit la campagne, / Je partirai». Je réalisai que partir ne représentait un choix de liberté que si vous aviez, en premier lieu, le droit de rester.

***

Un matin que je me trouvais dans la cuisine et regardais Esther couper des tomates, je lui demandai :

— Et Jules ?

Ma sœur ne me regarda même pas.

260

— Il est parti.

— Comment ça, parti ? Où ?

— Il va aider à créer un État juif en Palestine. Il est rentré dans un mouvement sioniste.

— Et Simone ?

— Elle ne veut plus entendre parler de lui. Elle a demandé le divorce. C'est mieux ainsi, il va peut-être faire quelque chose de sa vie, là-bas.

Je pensai à elle : si peu sa femme, jamais ma belle-sœur. Je me demandai si elle aussi avait subi sa violence. Pour la première fois, j'eus pitié d'elle.

***

Mes tantes se trouvaient là en cet après-midi du shabbat. Elles parlaient à Esther, à mon père, et leurs simagrées me renseignaient amplement sur la teneur de leur conversation. Je m'avançai encore fragile sur mes jambes et pourtant plus forte que je ne l'avais jamais été.

— Mon père, mes tantes, Esther, je sais ce que vous mijotez et je suis venue tout de suite pour vous éviter des tracas inutiles. Je ne me marierai pas avec quelqu'un que vous m'aurez choisi. Si vous esquissez la moindre tentative, je vous ferai une honte qui restera gravée à jamais dans l'histoire de Tunis. La famille a eu son compte, il me semble. Si vous voulez m'effacer, comme vous l'avait fait pour notre sœur morte, l'éphémère mari d'Esther, ou Jules, il n'y a pas de problèmes. Je sais où aller et je peux être prête en trente minutes. Si vous voulez que je reste, vous devrez me laisser faire mes propres choix.

Je quittai la pièce et rejoignis ma chambre, non sans avoir murmuré : « Je vous aime. »

***

Un mois complet s'était écoulé depuis la fameuse nuit et je devais retourner au bureau. Je pratiquai une inspection de mon apparence devant le miroir sur pied de la chambre. J'avais maigri et mes joues étaient pâles. Mes jambes ne portaient plus les traces des nombreuses blessures que j'avais reçues. Les hématomes de mes épaules et de mon dos apparaissaient encore légèrement, mais ne se voyaient pas sous les vêtements que j'avais choisis. Le vrai problème résidait dans le choix de ma coiffure. Mes cheveux avaient été arrachés par poignées entières. Je les brossais doucement en arrière et je mis un large bandeau souple et noir. Le résultat semblait correct, je partis retrouver mon travail.

La première matinée s'écoula péniblement. Tout me rappelait Bill. J'aurais aimé me noyer dans le travail, à l'affût d'un signe, d'un message. Seulement, chaque seconde passée me prouvait que notre pôle n'offrait plus guère d'intérêt stratégique. Donc, je trompais le temps à faire des boîtes et à déchiqueter le double des dossiers que j'empilais. À midi, nous nous retrouvions toutes les trois les mains noircies autour d'un sandwich au mess. Je ne voulais plus manger de glace. Pas sans lui. Il n'en était pas question et personne n'avait la cruauté de m'en proposer.

J'étais de retour au bureau depuis quinze jours lorsque la première lettre m'arriva. Un officier se présenta devant mon bureau, tenant un petit paquet brun dans sa main.

— Ceci vous est adressé, mademoiselle. Vous en avez de la chance, pas grand-chose ne passe !

Je m'enfuis dans la réserve et m'assis sur un carton posé à même le sol. Je tournai et retournai l'objet, m'attardant sur les marques laissées par le transport, les taches plus brunes, l'odeur qui s'en dégageait. Enfin, après cette inspection, je décachetai soigneusement le sceau, ne voulant rien endommager.

Une feuille de papier sale reposait à l'intérieur, mais pour moi elle avait des airs de parchemin. Je la dépliai lentement, cherchant à positionner mes doigts où d'autres doigts avaient exécuté le mouvement inverse. Elle était écrite au crayon et il devait être très mal installé, car les lettres semblaient tremblotantes et malhabiles.

Angleterre, le 5 juin 1944

Ma Sarah,

Je suis bien arrivé et je pense encore à la façon dont je t'ai annoncé mon départ. Je me suis montré trop brusque et tu m'en vois désolé, mais je ne savais pas comment faire autrement. J'espère que je ne t'ai pas causé trop de peine et que, depuis, tout se passe bien pour toi. Je t'imagine sous le soleil de ton beau pays et cela me rassure, car ici, la pluie nous écrase.

Demain, nous allons participer à un événement majeur et je n'ai pas le droit de t'écrire lequel, même si je sais que lorsque tu recevras cette lettre, le monde entier sera au courant.

Je ne suis pas affecté à un régiment proprement dit, je dois aller là où cela se passe, mais nous tissons les fils de l'Histoire ! Pour l'instant, je suis en compagnie de médecins et de pharmaciens de la 1re Division (The Big Red One) : tu vois bien que tu n'as pas à t'inquiéter. Ils sont jeunes et terriblement sympathiques et, bien

sûr, ils étaient morts de rire quand je leur ai dit comment je m'ap-
pelais. Certaines choses ne changent pas et cela me rassure. Ils ont
décidé de me prendre comme mascotte. Buffalo Bill a tenu tête aux
Indiens, moi aux nazis !

À propos, à mon retour, je vais te demander en mariage. Tu
devras feindre la surprise. D'un côté, cela te donnera le temps de
réfléchir à ta réponse. Ma demande manque de romantisme et de
tradition, seulement, devant l'urgence du moment, je n'ai pas pu
m'en empêcher. Même si j'use d'une pauvre excuse, c'est la vérité
vraie. Quand je reviendrai, je me rattraperai, je te le promets.

N'oublie jamais que je t'aime.
Bill

— Ça va, Sarah ?

Agnès avait posé sa main sur mon épaule et je laissai reposer
mon dos sur ses hanches, appuyant ma tête contre son ventre.
Nous restâmes immobiles, partageant l'intensité du moment.

***

Quinze jours plus tard, une deuxième lettre arriva.
France, le 10 juin 1944
Ma Sarah,

Je veux que tu saches que j'ai débarqué en Normandie et que
je vais bien. La bataille sur la plage a tué des milliers d'hommes.
Les Allemands ont été pris par surprise, mais ils nous ont tiré dessus
depuis leurs bunkers. Sans l'aide de l'aviation, nous n'aurions pas
pu nous en sortir.

J'ai rencontré un homme extraordinaire, un photographe, Robert Capa. Il était avec moi et à l'aide de trois appareils, il a pris des photos. J'espère qu'elles seront bonnes parce que cela secouait pas mal, là-bas[1].

Je couvre ce qui se passe dans les villages. La réception des habitants est incroyable. La résistance française a fait un travail si extraordinaire que je me mets à penser que plus la répression est sévère, plus l'être humain développe des trésors de ressources. Un des réseaux de la Résistance[2] savait que nous arrivions grâce au poème de Verlaine, Chanson d'automne, *diffusé à la radio. Il n'y a que des Français pour imaginer quelque chose d'aussi romanesque dans une telle situation!*

La campagne est magnifique. Tout est vert, forcément, il pleut beaucoup. On trouve des vaches, des clochers et des pommiers aussi loin que se porte le regard. Nous reviendrons un jour ici, quand tout sera fini.

As-tu pensé à ma proposition? Moi, je ne pense qu'à ça.

N'oublie jamais que je t'aime.

Bill

---

1. Seules onze de ses photos seront exploitables sur les soixante-douze prises à Omaha Beach.
2. Le réseau Ventriloquist commandé par Philippe de Vomécourt.

18

J'avais accroché ma vie au porte-manteau. Elle attendait là, sagement, que je décide de la revêtir. Je ne me décidais pas.

— Sarah, tu nous inquiètes!

Tout le monde me le répétait, tout le temps : j'avais fini par le comprendre. Les fêtes juives se finissaient tranquillement et nous avions perché au-dessus des portes toutes sortes de branchage, parce que nous n'avions pas érigé de Souccah. Mady voyait un jeune Italien, Mario, brun et ténébreux, qui la faisait rougir au moindre regard. Rina gonflait, énorme! Elle s'était mariée pendant ma convalescence et m'avait juré sur tous ses grands Dieux que si la situation n'avait pas tant pressé, elle m'aurait attendue, ce que je croyais volontiers. Agnès remplaçait ma mère, mon père, mon docteur, mon rabbin et plus encore. Elle avait décidé de m'étourdir, aussi sortions-nous plus souvent. Ma famille semblait s'être fait une raison. Ils pensaient peut-être que, de toute façon, ma réputation était fichue. Je me laissais traîner de café en restaurant, partout, sauf au cinéma. Je refusais d'y retourner sans Bill.

Je n'avais pas reçu de ses nouvelles depuis deux mois. J'étais devenue une droguée des actualités, indifférente à tout le reste. Je lisais le journal, j'écoutais la radio, je parlais avec les hommes, au bureau, à la maison, sur l'avenue Jules Ferry, partout, avide de la moindre miette d'information qui m'aurait échappé. Bill errait quelque part, là-bas, dans ce chaos. Et s'il avait faim ou froid? Mes instincts de mère juive à fleur de peau, je caressais la médaille que je portais, dans le même geste machinal qui me guidait autrefois vers mes cheveux. Je traversai une crise de mysticisme qui me conduisit à allumer un cierge dans une chapelle, à envisager de respecter le shabbat, à invoquer les esprits. J'en étais parvenue à ce stade lorsque Rina arriva un jour au bureau, se dandinant et soufflant.

— Les filles, dit-elle à Agnès et moi alors que nous l'aidions à s'asseoir, il la voit toujours, j'en suis sûre.

— Rina, tu te fais des idées.

— Oh, non. Et je porte son enfant, tu te rends compte. Elle se mit à geindre.

Je pensai que Bill et sa chevalerie avaient fait fausse route. Je regardais le ventre énorme de mon amie et je l'enviais. J'aurais tout donné pour, comme elle, sentir au creux de mon ventre la preuve gigotante de mon amour.

— Bon, je suis venue parce que je voudrais que vous m'accompagniez chez un mage extraordinaire. Le meilleur de tous. Il se trouve dans un coin impossible au fin fond des souks. Il vaut le déplacement.

Agnès explosa.

— Il n'en est pas question ! Ces gens-là sont des charlatans, des manipulateurs. En plus, ils vous prennent de l'argent et après, ils sèment leurs mensonges dans votre esprit. Il n'en est pas question !

— Et toi, Sarah ?

Avoir des nouvelles de Bill par n'importe quel moyen me convenait parfaitement.

— Tu peux compter sur moi, acquiesçai-je.

Agnès, fâchée, tourna les talons, sans un seul commentaire.

— Je ne veux pas t'occasionner de problèmes, dit Rina.

268

— Bah, elle s'en remettra. Allez, roule ma boule, soupirai-je en l'aidant à se relever et en minant l'enthousiasme. Il n'y a presque plus rien à faire ici…

Je décrivais d'un geste de la main les bureaux déplacés le long des murs, les chaises renversées, les dossiers éventrés et d'un claquement de doigts, le léger écho qui remplaçait le bourdonnement habituel.

L'adresse fut vraiment difficile à trouver et, même nous, nous étions mal à l'aise dans ces ruelles très sinueuses de la Médina qui contrastaient avec la splendeur et le grandiose de la mosquée Zitouna, non loin. L'antre du médium était situé dans un renfoncement devant lequel on pouvait passer sans le remarquer. Il nous fallut gravir quatre marches de pierre sableuse avant d'accéder à la marchette principale, base de soutènement de l'encadrement ocre de l'entrée. Celle-ci se divisait en deux pans, anormalement bas et décorés de fer forgé brun, dont les arabesques se découpaient sur un fond couleur de caramel brûlé. Deux poignées charnues vous montraient les gros yeux et vous jugeaient dignes ou pas de vous introduire en ces lieux.

Le voyant nous ouvrit la porte. Il nous apparut grand et maigre, un turban sur la tête et une barbe noire si fournie qu'elle engloutissait sa bouche. Il était vêtu d'un burnous de laine écrue entrouvert sur un caftan[1] de la même couleur, rebrodé ton sur ton. Des babouches d'un blanc sale saillaient de l'ourlet retroussé de son sarouel[2] beige.

---

1. Longue robe.
2. Pantalon traditionnel d'Afrique du Nord, à jambes bouffantes et entre-jambe bas.

D'un signe du menton, il nous désigna une jarre dans laquelle nous déposâmes les francs, sans même qu'il vérifie la somme, et nous précéda dans le couloir menant à la pièce réservée à ses consultations. Je pressai la main de Rina et lui murmurait en gloussant :

— Tu sais qu'un médium est un liquide à base d'huiles et de résines qui sert à délayer et lier les couleurs broyées. Il a dû rater le mélange !

Elle me lança un regard désespéré et nous pénétrâmes dans une chambre obscure où des poufs tenaient lieu de fauteuils. Rina eut toutes les peines du monde à s'y installer. Il n'esquissa pas un geste pour l'aider. Il nous dardait un œil perçant, insaisissable. Il croisait ses bras à l'intérieur de ses longues manches. L'ensemble était inquiétant.

Devant lui, des pierres polies et lisses, comme si elles dataient d'un millénaire. À sa droite, une jarre de sable ; à sa gauche, des tarots.

— Toi, dit-il en s'adressant à Rina.

Il sortit sa main d'une de ses larges manches. Il lança les pierres, puis les caressa amoureusement de ses ongles immenses et recourbés.

— Ton mari est fidèle, lui révéla-t-il d'une voix caverneuse.

Rina ouvrit la bouche pour répliquer. Il l'arrêta d'un geste de la main, menaçant.

— Fidèle à l'autre. Le lien qui les unit durera à jamais, même après la mort. Le prophète dit qu'un homme peut prendre plusieurs femmes s'il les traite avec justice. Tu ne manqueras jamais de rien. Tu vivras vieille et tu lui donneras de beaux enfants. Peu sont aussi chanceuses que toi.

270

Rina était effondrée, mais pas un mot de réconfort ne franchit les lèvres minces du mage. J'en avais assez entendu. Je m'apprêtais à me lever pour aider Rina quand il versa le sable sur une large assiette en terre cuite. Il y promena des ongles. Nous ne pouvions nous empêcher de suivre le manège de ses doigts, hypnotisées.

— Toi, tu porteras une couronne sur ta tête, petite Juive.

Si je n'avais pas eu si peur, je crois que j'aurais éclaté de rire. Je voulais juste ramener Rina à bon port. Dans la rue, Rina sanglotait et elle pesait une tonne.

— Arrête, tu vois bien qu'il ne sait pas ce qu'il dit. Regarde pour moi, une couronne sur ma tête. Peut-être que je vais épouser un roi?

Elle se détendit devant l'absurdité de sa prédiction et se laissa reconduire avenue de Carthage, où elle habitait maintenant. Une fois rentrée au bureau, je frappai à la porte d'Agnès.

— Alors, tu fais la tête?

Elle me sourit et tandis que je lui racontai notre escapade ésotérique, pensant la détendre et lui prouver qu'elle avait raison, sa réaction me surprit.

— Pour Rina, il ne s'agit pas de voyance, juste de logique. Pour toi, il ne faut pas le prendre littéralement. Cela doit découler d'une situation, d'une métaphore, ajouta-t-elle, pensive.

— Alors là, je ne te suis pas du tout. Je pensais que tu n'y croyais pas, qu'ils étaient des charlatans.

— Pour la majorité, c'est le cas. Certains peuvent avoir un don. Ils sont rares. Voilà pourquoi il ne faut pas toucher à ces choses-là. Il s'agit de la face cachée des religions.

— Tu sais qu'en arabe on dit : Le hasard est l'ombre de Dieu, lui appris-je. Nos conceptions s'approchent, tu vois.

Elle demeura interloquée, sans doute par la pertinence de ces quelques mots, puis soupira.

— Ma mère cultivait une lubie. Elle tirait les cartes. À tout le monde, tout le temps. Cela exaspérait mon père. Elle s'enfermait dans l'office et racontait tout ce qui lui passait par la tête aux clientes. Elle descendait soi-disant d'une famille de rebouteux et avait hérité d'un don. J'ai toujours eu horreur de ça, être une fille de sorcière! Il n'y avait aucun moyen d'en sortir. Que ses prédictions se réalisent ou pas, les gens l'évitaient, et moi, la fille de la sorcière, avec. Mon père lui pardonnait tout, alors l'affaire s'est mise à péricliter. Le soir avant mon départ, elle est venue dans ma chambre et m'a dit que je courais un danger et que Xavier allait mourir. Je suis rentrée dans une colère terrible. J'ai hurlé à ma mère qu'elle brûlerait en enfer… Mon père m'a giflée. Pour la première fois de ma vie, il a levé la main sur moi. Je ne l'ai pas revu depuis. Je n'ai pas de leurs nouvelles. Pourtant, elle avait raison… mais, je persiste, il n'y a aucun intérêt à connaître son avenir à l'avance puisqu'on ne peut pas le changer.

Novembre se dessina tristement. Nous écoutions la TSF chaque soir, cadeau somptueux de Jacob. Il nous gâtait beaucoup, du linge de table brodé pour Esther, des bas pour Yolande. Hannah se pavanait en ville et les voisins commençaient à commérer. Un soir, mon père se décida à lui parler.

— Jacob, mon fils, d'où sors-tu tout cet argent?

— Pourquoi? Tu n'aimes pas nous voir heureux? Moi, j'aime ça, des figures réjouies autour de moi.

— Là n'est pas la question. Tu connais les gens, ils jasent. Ils disent qu'ils t'ont vu au centre-ville en mauvaise compagnie et dans des cafés avec des voyous.

— La prochaine fois, réponds-leur qu'ils n'ont qu'à regarder ailleurs.

Mon père se redressa, furibond.

— Jacob, qu'est-ce que tu fais ? C'est quoi toutes ces filles et où as-tu rencontré ces truands ?

— Facile. À la salle de boxe ! Ils m'ont présenté aux vrais maîtres de Tunis et toi, tu sais parfaitement de qui je veux parler.

Il joua les caïds, continua à manger sa soupe à grosses lampées, comme s'il parlait du prix des sardines au marché.

Mon père ouvrit de grands yeux. Ses doigts étaient tellement crispés qu'à la jointure de ses articulations se démarquait un halo blanchâtre.

— Les Maltais ! Les cochers maltais.

Il émit un son guttural, plus qu'un mot clairement prononcé.

— Ouais, les Maltais. Ils savent tout sur tout le monde, comme les allées et venues des clients huppés des bordels de Nahj[1] Sidi Abdallah Guech, par exemple. Il faut que je te dise que le plus juteux, tu vois, c'est les clandestines, parce que là c'est plus de la petite monnaie, tu te fais du flouze !

J'avais entendu parler de cette rue, plus d'une fois, néanmoins elle ne s'étendait que sur une cinquantaine de mètres.

---

1. La rue Sidi Abdallah Guech.

— Il faut bien que quelqu'un les emmène, les filles du *Chat noir* ou du *Palmier*, chez le docteur. Celles qui habitent dans les quartiers les plus chics, des villas splendides... Elles reçoivent des hommes d'affaires, des commerçants et des Américains.

Son regard entendu fit le tour de la table, s'arrêta sur moi et il fit claquer sa langue.

— Mazette, eux, ils ont la classe. Je touche une commission et rien qu'avec les pourboires, je gagne dix fois plus que courbé sur ma fichue machine. Avec les Maltais, je ne ramasse que les miettes, et regarde moi!

Il se trompait, il ne me faisait pas envie, plutôt pitié. Il n'avait pas l'air nanti, il avait mauvais genre. Les besoins des Alliés avaient évidemment diminué. Agnès n'avait guère eu la possibilité d'offrir d'autres commandes à mon frère. Avec ce qu'elle lui avait fourni, il aurait dû être capable de relancer son atelier.

Il posa sa cuillère et tournoya, paradant, comme un paon, dans son costume couleur havane et ses chaussures en cuir à pompons. Mon père, chancelant, tomba de tout son poids sur son fauteuil et murmura :

— Tu n'as pas honte. Si ta mère était là...

— Honte de quoi? C'est toi qui devrais avoir honte! Tu nous as laissés crever alors que tu avais les moyens de nous en sortir, d'aider maman à ne pas mourir d'épuisement!

— Tu ne sais pas ce que tu dis, ni dans quoi tu t'aventures. Ce n'est pas honnête, mon fils.

Mon père suppliait, dépassé par un temps où le monde basculait sous ses yeux, où toutes ses valeurs s'effondraient, l'emportant dans leurs chutes.

274

Jacob l'acheva.

— Fiche-moi la paix avec ton honnêteté minable. Tu travaillais comme peintre en bâtiment. Tu étais le meilleur pour les travaux de finition et de décoration : les dorures, le laquage, le filetage. Tu entrais partout, dans les palais beylicaux, chez les propriétaires de la plupart de villas. Tu aurais pu leur fourguer ce que tu voulais. Non! Tu n'as profité de rien et de personne alors qu'eux sont insatiables : drogue, alcool, filles. Tu aurais pu faire vivre maman comme une reine!

— Tais-toi! Je ne te reconnaîs plus. Sors de ma maison! hurla mon père.

— D'accord, je sors. Seulement, réfléchis! Morale, mafia, tous tes boniments, je m'en fous. Je ne fais rien de mal. J'accompagne, je protège... je ne consomme pas. Ma femme à moi, elle va avoir une bonne pour les courses, une pour la lessive et même une pour éplucher les légumes si elle veut. Et elle ne mourra pas à cinquante-deux ans parce que son cœur en comptera le double!

Jacob se leva, laissant Esther en larmes et mon père anéanti, au bout de la table, présidant une assemblée de désespérés que je soutenais du mieux que je pouvais, navigant de l'un à l'autre, les caressant, les embrassant, leur chuchotant que tout irait bien, que cela passerait. Même si je comprenais la rage et le désespoir de mon frère, jamais je ne lui pardonnerais d'avoir pris Mamina comme alibi de ses turpitudes et encore moins d'avoir frappé un homme, notre père, à terre.

Deux semaines plus tard, Rina mit au monde une merveilleuse petite fille de quatre kilos et demi, et la prénomma Nora. Le lendemain, une troisième lettre arriva.

Sous la tour Eiffel, le 17 septembre 1944

Ma Sarah,

Je suis arrivé à Paris depuis quelques jours. Je t'écris tellement de lettres que je dois sûrement me répéter parce que je ne sais pas ce qui te parvient ou non.

Cette ville vibre. Il s'y passe des choses insensées, extrêmes. Je découvre la nature humaine. Tu dois savoir que nous avons laissé les Français entrer en premier et libérer Paris. Je pense que cela va légitimer le pouvoir du général de Gaulle, même s'il n'en montre aucun besoin. Les Français l'acclament, le portent en triomphe. En fait, cela place son gouvernement exilé à égalité avec celui des Alliés.

Tu aurais du voir la liesse qui s'est emparée des Parisiens, les bals à tous les coins de rue, les chants. Les femmes qui se jettent au cou des militaires.

À côté de cela, j'ai assisté à des scènes de lynchages publiques. Des femmes convaincues d'adultère avec des Allemands sont traînées dans la rue. On leur rase la tête, leur crache dessus devant une foule qui en redemande.

Sarah, et si j'étais né Allemand ? Aurais-tu subi la même chose ? En y pensant, j'en ai froid dans le dos. Il naîtra des tas de bébés dont les pères auront appartenu à l'armée des oppresseurs ou des libérateurs. Comment vont-ils grandir ? Dans la honte ? Et tous ceux dont les parents ne rentreront pas à la maison ?

J'ai peur du monde dans lequel nous élèverons nos enfants. J'espère que tu désires des enfants. Moi, j'en voudrais deux qui te ressemblent. Tu me manques tellement que j'en aie mal.

N'oublie jamais que je t'aime.

Bill

Bill m'avait demandé de réfléchir à sa proposition et je me rendais compte que ma pensée coulait, claire comme de l'eau de source. Mamina avait raison, l'amour, le vrai, s'empare de vous contre votre gré. Je voulais vivre avec lui, me marier et avoir des enfants.

Je n'étais plus cette fille qui ne voulait pas d'attaches. Dans mes souvenirs, vieux de quelques mois à peine, je ne puisais qu'insécurité et dénigrement de tout mon être. Bill m'avait apporté cette confiance qu'ont les gens respectés et valorisés par les yeux de ceux qui les aiment.

Le mois de décembre se révéla atroce, une avalanche de mauvaises nouvelles s'abattit sur nous. Le 15 décembre, Glenn Miller disparut au-dessus de la Manche, alors qu'il se rendait en France donner une série de concerts. L'information nous parvint le soir, à la veille du chabbat. Elle me bouleversa. Je perdais quelqu'un que je connaissais dans cette guerre. Bill et moi, nous nous étions rencontrés sur sa musique.

Le lendemain, Agnès nous fit rentrer au bureau le soir pour nous annoncer qu'une offensive allemande majeure avait été déclenchée sous un brouillard terrible, tôt le matin même, dans les Ardennes. Les services américains en France l'apprirent légèrement avant nous.

— Nous devons nous tenir prêts, nous dit-elle, car nous aurons peut-être à envoyer du matériel, à transférer des informations.

Agnès n'y croyait pas trop. Nous régnions sur des hangars vides. J'admirais son professionnalisme et sa constance.

Le 19 décembre, Agnès nous informa que des mouvements de troupes gigantesques se préparaient, les généraux Patton et

Eisenhower agissant de concert. Les jours suivants, l'aviation, bloquée au sol dans les Ardennes belges, au nord du Grand-duché de Luxembourg, subissait des conditions climatiques exécrables.

Nous assistions totalement impuissants et désœuvrés à ce combat de Titans. Agnès organisa Noël et la Saint Sylvestre au mess, espérant remonter le moral de ceux qui demeuraient encore en poste. Les décorations faisaient grise mine par rapport à celles de l'année précédente. J'eus droit à des tapes dans le dos et à des accolades de mes collègues qui eurent pour effet de me faire paniquer, au lieu de me réconforter.

Le Jour de l'An, le bureau étant naturellement fermé, nous élûmes domicile, Germaine et moi, chez Agnès, ou plutôt sur son divan. Mady restait avec sa famille et Rina avec son bébé. Albert vaquait, soi-disant, dans la campagne tunisoise pour l'épicerie de son père. Ma sœur travaillait maintenant pour une couturière renommée de Tunis. Seulement, celle-ci prenait ombrage du talent de Germain. Les clientes ne voulaient qu'elle. Agnès la convainquit qu'elle devait voler de ses propres ailes. Ce soir-là naquit leur association.

Agnès prévoyait sous peu le déménagement et le démantèlement des bureaux des Forces américaines. Cette plateforme stratégique ne se justifiait plus vraiment. Les Français reprendraient certainement très vite leurs prérogatives dans le protectorat qu'était la Tunisie. Elle possédait un petit pécule et ne nous surprit pas en nous annonçant qu'elle l'avait investi en association avec un homme d'affaires tunisien dans une usine de production de radios à dynamo.

— J'ai rencontré quelqu'un de formidable, Alani Maatouk. C'est un visionnaire, il pense que tout le monde voudra se déplacer avec son poste sur lui, relié en permanence à l'information.

Agnès semblait vraiment emballée et je me demandais ce que trahissait cet entrain. Ne voulait-elle pas revoir ses parents?

— Tu comptes t'installer ici, alors, osai-je timidement.

Au début, je croyais qu'elle n'avait pas entendu ma question. Puis, elle écrasa sa cigarette dans le cendrier à côté d'elle et alla chercher un livre qui était posé sur son chevet. Elle l'ouvrit à une page déjà marquée et lu : «J'aime ce pays, et j'aime y vivre parce que j'y ai mes racines, ces profondes et délicates racines, qui attachent un homme à la terre où sont nés et morts ses aïeux, qui l'attachent à ce qu'on pense et à ce qu'on mange, aux usages comme aux nourritures, aux locutions locales, aux intonations des paysans, aux odeurs du sol, des villages et de l'air lui-même... »

— Qui a écrit ça, c'est beau.

— Guy de Maupassant, dans le *Horla*.

Elle tourna le livre pour que je voie la couverture.

— Il raconte quoi?

— C'est l'histoire d'un homme qui vit avec un fantôme.

— Oh, ma chérie. Tu dois tirer un trait, marcher vers l'avenir. Xavier l'aurait voulu.

J'hésitai à poursuive, incertaine de la délicatesse de ma remarque en un moment si fort en émotions, puis je murmurai :

— Tes ancêtres ne viennent pas d'ici, personne de ta famille n'est enterré ici.

— Oui, Sarah, justement, nul n'est mort ici, mais, moi, j'y suis revenue à la vie.

Comment définir l'appartenance à une nation? Par le sang, le sol, la religion ou le cœur? De quel droit pouvais-je dicter à Agnès où vivre et où ne pas vivre? J'avais certes ma mère couchée dans cette terre[1] et savoir que je pourrais toujours l'y visiter me rassurait, mais ne me gratifiait d'aucune certitude.

Cet Alani avait trouvé un moyen de rendre vraiment portables ces radios, avec une manette que l'on tournait sur le côté, comme pour les lampes torches. Agnès croyait beaucoup en cette nouveauté et elle était persuadée qu'après la guerre, tout le monde resterait attaché aux différents programmes habituels.

— Sarah, tu es avec moi, dans tout, tu le sais, j'espère, me répéta Agnès à maintes reprises cet après-midi-là.

Je hochai la tête, seulement il n'était pas question que je fasse le moindre projet. J'aurais eu l'impression de laisser tomber Bill. Je ne voulais me concentrer que sur sa survie, quitte à délaisser la mienne. J'aurais bien le temps de m'intéresser à mon futur, moi qui n'avais même pas de présent sans lui à mes côtés.

Je m'étais mise en tête d'apprendre à tricoter. Cela tournait à l'obsession. Une maille à l'endroit, une maille à l'envers. Cela occupait les longues heures d'attente. Je ne faisais que ça, attendre Bill et attendre que le téléphone sonne au bureau devenu désert. Mon tricot me suivait partout. Je me lançais dans des gilets pour mes neveux et nièces qu'ils ne mettraient sûrement pas.

Vers le 15, je fus invitée chez Rina. Albert m'accueillit avec une bonhomie inhabituelle. Je pris sa relative bonne humeur

---

1. En 1957, le cimetière israélite fut déplacé dans le quartier du Borgel. L'espace fut aménagé en jardin public et nommé en l'honneur du héros de l'Indépendance et de l'homme politique tunisien, Habib-Thameur.

pour de la suffisance et ce fut ce moment précis que je choisis pour lui exploser en plein visage, incapable de me retenir. Je martelai le flou que l'indépendance de la Tunisie suggérait pour ma communauté. Je le laissai pantelant, ne voulant pas de sa charité mal placée. Il ne me faisait pas l'aumône, j'étais chez moi, en Tunisie, et il ferait bien de s'y habituer. En sifflant ces mots, j'entendis le son de ma propre voix sonnant faux comme une mauvaise réplique d'un script raté. Rina m'embrassa en me disant que j'avais parfaitement raison et que j'avais bien fait de lui répondre. Elle aussi, elle mentait mal. Les dés étaient jetés. Quand Bill reviendrait, je partirais avec lui, en Amérique.

Une dizaine de jours après, je reçus une quatrième lettre. Elle avait mis peu de temps à m'atteindre et cela me prouvait que les communications se rétablissaient. Cette constatation me ravit jusqu'au moment où je lus ces mots.

En enfer, le 27 janvier 1945

Ma Sarah,

Je t'écris depuis l'enfer. Le diable existe et il a pris ses quartiers à Auschwitz. Je suis avec les Russes. Ne te demande pas pourquoi, mais, en fait, ils sont allés si vite qu'ils ont surpris les Allemands et ont découvert l'inconcevable. Ils nous ont fait parvenir des nouvelles tellement impossibles à croire que j'ai été envoyé ici.

Ma chérie, le monde n'a pas fini d'entendre parler de ce qui s'est passé en Pologne. La folie d'Hitler s'est matérialisée sous la forme de camps de concentration dans lesquels il a parqué et tué des hommes, des femmes, des enfants, parce qu'ils étaient juifs, tziganes ou handicapés. Les Allemands ont tenté de dissimuler les preuves de cet assassinat de masse et ont détruit tout ce qu'ils pouvaient. Il reste les chambres à gaz et des registres. Où sont les prisonniers ?

Nous nous demandons où ils ont pu les emmener et comment ils vont, vu la faiblesse qui doit être la leur et le froid qui règne.

Je suis désolé de t'apprendre que le copain de ton frère, le champion de boxe Yong Perez, était ici[1]. J'ai vu son nom. Il avait réussi à se faire employer à la cuisine. Je n'ai malheureusement pas d'autres renseignements à te donner. Il faudra des années pour retrouver les familles de ceux qui sont passés ici.

Sarah, nous savons qu'il y en a d'autres, plusieurs autres camps, d'autres usines de la mort. Si l'on peut tuer au nom de Dieu, on peut aussi mourir en son nom.

Je ne pense plus qu'à une seule chose, à toi. Je courais partout en pleurant et en criant ton nom. Je ne veux pas imaginer ce qui aurait pu se passer si nous n'étions pas entrés dans Tunis. Je ne crois pas qu'Hitler se serait arrêté à l'Europe. Je perçois trop de logique derrière ses actes.

Je suis fatigué, mais en bonne forme physique. Seulement, j'ai du mal à dormir parce que, dès que je ferme les yeux, je vois des… horreurs.

Je voudrais marcher avec toi sous le soleil et manger toutes les choses au miel et à l'huile possibles et imaginables.

Sarah, ma douce et tendre Sarah, j'espère que tu as réfléchi à ta réponse, car, moi, je ne pense qu'à ma demande.

N'oublie jamais que je t'aime.

Bill

---

1. Dans une lettre datée du 11 janvier 2010, Edwige, la fille du manager de Yong, raconte qu'elle a trouvé dans les affaires de son père, Léon Bellières, une coupure de presse. Le boxeur serait mort entre le 15 et le 18 janvier 1945, dans les bras de son ami Bibi Barah, après deux jours d'une marche forcée dans la neige. Ils avaient parcouru soixante-quinze kilomètres.

Je lisais et relisais les lettres et je palpais sa douleur, sa retenue en me contant ce qu'il traversait. Je savais que Bout'ch avait laissé la place à Sarah, pour toujours. Ce diminutif se résumerait à une anecdote que je raconterais à ma fille qui, sans doute, la cataloguerait de formidable et qui m'imaginerait en héroïne d'une époque mythique, révolue pour elle. La jeune fille insouciante en elle évoquerait la musique, la mode, le cinéma et ne mesurerait pas la souffrance suscitée par ce que je vivais : l'écartèlement des idéaux, le bond social unique engendré par le mixage des populations. Cette guerre nourrissait une haine raciale. Pourtant, en devenant mondiale, et ceci, quelle qu'en soit l'issue, elle avait atteint le but inverse. Tunis, mes amies, ma famille et moi, nous avions été percutées par un météore : les Américains. Ils représenteraient, pour notre génération, la délivrance de nos corps, de nos esprits et de nos âmes captives d'une société millénaire engluée. Nous leur pardonnerions à jamais tous leurs travers, leurs imperfections, leurs erreurs. Ils incarnaient la Liberté.

L'attente de Bill s'éternisait, insoutenable. Je n'arrivais plus à respirer normalement. Il fallait qu'il rentre. Je n'en pouvais plus.

Au cœur de février, nous fûmes persuadés que les Allemands étaient bel et bien battus. Les nouvelles nous l'annonçaient depuis quelques jours déjà, mais nous craignons de nous laisser aller à une joie prématurée. Les soldats américains avaient héroïquement épuisé leurs dernières forces et facilité le passage de l'Armée rouge de Staline. Ils sortirent auréolés de gloire et le général Eisenhower devint Ike dans le cœur de tous.

La Tunisie découvrait peu à peu l'ampleur de ce qui s'était passé en Europe : les camps de concentration, le massacre organisé que nous, Juifs tunisiens, ne pouvions concevoir. Les synagogues ne désemplissaient pas, des Kaddishs se tenaient tous les jours pour que l'âme des morts s'élève. Après une telle horreur, comment croire en Dieu ? Les rabbins se préparaient à lutter contre une vague de scepticisme.

Ninon accoucha d'un garçon, un adorable poupon qu'elle nomma Simon. Elle semblait heureuse avec Élie, qu'elle menait toujours à la baguette. La circoncision eut lieu à la maison, bien plus grande que la leur. Jacob y entra pour la première fois depuis sa dispute avec mon père, à l'occasion de la bilada[1] qui fut une soirée joyeuse et familiale, même si mon père ignora complètement son fils. Il ne fallait pas trop lui en demander. Lorsque trois jours auparavant nous avions rentré la martba[2] au centre de notre salle familiale et déposé les livres sacrés, il avait pleuré devant nous, appelant ma mère.

Le moment venu, mon père monta sur la chaise et tint son petit-fils sur ses genoux. La kémia occasionna une conversation avec Émile au sujet des rencontres fréquentes qu'il avait avec Gilbert, le fils de Mardoché. Mon oncle, qui évitait maintenant les voyages trop fréquents dans la capitale, chargeait son aîné de la bonne marche de ses affaires. Mardoché me manquait. Cet homme nous avait aidés pendant les moments les plus difficiles de notre vie. J'avais appris seulement récemment

---

1. Nuit précédant la circoncision.
2. Il s'agit d'une chaise recouverte d'un beau tissu sur lequel on pose des livres de prières pendant la circoncision.

et par inadvertance qu'il avait réglé notre part de l'amende aux Allemands. Tous voulaient déjà oublier cette occupation de six longs mois et ses conséquences sur nous. La découverte de l'horreur qui avait frappé les Juifs d'Europe nous imposait le silence sur nos propres souffrances, honteux encore, honteux toujours d'avoir été épargnés. Ou bien, notre souffrance serait-elle reléguée au rancart de l'Histoire parce qu'elle avait touché des populations orientales valant encore moins que les autres[1]? Serions-nous toujours considérés comme inférieurs, même dans la douleur, les massacres ou tout simplement les injustices? Les Européens qui nous côtoyaient se salissaient-ils à notre contact au point d'en avoir les pieds noirs? Qui étions-nous, des êtres en suspension? Mes certitudes s'effritaient. Nous n'étions pas Français. On nous rabâchait que nous n'étions pas vraiment Tunisiens puisque nous n'étions pas musulmans, insinuant dans nos esprits un doute outrageant. Nous étions Juifs. Juif n'était pas une nationalité.

— Tu vois beaucoup Gilbert, ces derniers temps, il vient souvent en ville? demanda mon père.

— Oui, on a des projets ensemble et avec son ami, répondit avec douceur Émile.

— Qui sont…? insista mon père.

---

1. Edward Wadie Saïd, un intellectuel américain d'origine palestinienne, théoricien littéraire, professeur et critique, analyse dans *L'Orientalisme* l'histoire du discours colonial sur les populations orientales placées sous domination européenne. Son ouvrage est considéré comme un des textes fondateurs des études postcoloniales. Robert Young,*White Mythologies: Writing History and the West*, New York et Londres, Routledge, 1990.

— Et bien, Jules Ouaki[1], l'ami en question, a pensé qu'après la guerre, les femmes seraient plutôt sans le sou, mais auraient envie de faire des folies à cause des privations, des restrictions… Alors, on veut ouvrir une boutique dans un quartier très populaire à Paris et faire des bacs, tu vois, où les clientes pourraient fouiller et trouver des vêtements. On mettrait des prix vraiment ridicules pour les tenter. J'apporterai mon expérience de vendeur, lui, celle d'acheteur et Gilbert nous financerait.

— Jules Ouaki, le fils de Tita. Je connais très bien sa mère, interrompit Esther.

Myriam, la petite fille aux joues rebondies, ajouta :

— Tout sera à carreaux roses et blancs, comme le tablier de ma poupée, n'est-ce pas ?

— Oui ma chérie, comme tu veux, et les prix écrits en bleus, ça te va ?, lui répondit en souriant Émile.

— D'accord, dit-elle en repartant piocher sur la table des desserts.

— On voudrait mettre aussi un rayon bazar, casseroles, quelques outils et, pourquoi pas, des savonnettes et des bonbons, renchérit mon frère en s'adressant encore à mon père assis au bout de la table.

— Où vas-tu trouver la marchandise ?

— On réfléchit, Baba[2].

— Alors, tu vas partir, mon fils.

Ce n'était pas une question, mais une évidence, une constatation.

---

1. Fondateur des magasins Tati à Paris.
2. « Papa » en judéo-arabe.

— Baba, on va tous devoir partir, un jour ou l'autre.

Personne n'intervint, ne voulant pas rajouter au chagrin de mon père, mais ce silence sonna comme un acquiescement indubitable.

— Pas moi, non, pas moi. Je ne laisserai pas ta mère ici toute seule.

Je me détournai, refoulant les larmes qui me montaient aux yeux. Mamina avait vécu à une époque dure, obscure, où l'être humain, particulièrement la femme, ne comptait guère. J'aurais voulu pouvoir la gâter, lui offrir des fleurs et un panier de fruits exotiques orné d'un flamboyant ruban rouge tous les soirs de shabbat. J'aurais voulu lui servir de canne pour ses vieux jours, qu'elle soit fière de moi, qu'elle me voit forte, réussir dans la voie que je m'étais choisie.

∗∗∗

Quand le printemps explosa, révélant sa chaleur et les jupons fleuris des demoiselles, je n'avais toujours pas reçu d'autres nouvelles de Bill.

Nous étions le 7 mai 1945 et il faisait nuit. Pourtant, toutes les fenêtres du quartier et sans doute de Tunis étaient allumées. Les familles, regroupées autour du poste, écoutaient les programmes diffusés par Radio Tunis. Les journalistes occidentaux nous informèrent qu'à deux heures quarante et une, de l'autre côté de la Méditerranée, se jouait la fin de cette guerre. Le général Alfred Jodl signait à Reims la capitulation sans condition de l'Allemagne. Je ne connaissais rien à cette ville, si ce n'est qu'elle se nichait au cœur des vignobles qui produisaient le champagne et cela me parut un heureux hasard, car partout dans le monde devaient s'ouvrir des bouteilles pour fêter la Libération.

Nous entendîmes des cris au-dessous de nos fenêtres. La foule grossissait au fur et à mesure que la nouvelle était confirmée. Des hommes, jeunes et moins jeunes, revenaient de l'avenue Jules Ferry où la *Dépêche Tunisienne*, le plus important des quotidiens français, avait l'habitude de communiquer les dernières nouvelles internationales au fur et à mesure de leur réception, sur un tableau noir.

Nous nous regardâmes longuement, mon père, Esther et moi, seuls dans cet appartement devenu trop grand et où l'absence de Mamina résonnait de plus en plus fort. Qui nous ramènerait nos disparus, nos coreligionnaires, morts emportés dans de terribles souffrances, dans la solitude et dans la maladie? Ils avaient été privés de toute dignité et de respect. Ils étaient morts, abandonnés comme des chiens, oubliés de Dieu lui-même.

Je pensais à la disparition de ma mère. Mamina avait connu le réconfort de partir entourée de toute sa famille, amoureusement couvée du regard par son mari, caressée par ses filles et bercée par le Shéma Israël de ses fils. Quel luxe, quel privilège en ces temps de haine! Cette pensée amenait du baume sur mon âme de fille torturée, alignait mes pensées vers une perspective inattendue.

Soudain, des coups retentirent à la porte d'entrée. Peu à peu, la maison se remplit. Mes frères arrivèrent avec leur femme et leurs enfants. Même Jacob, dont la collaboration avec la mafia de Tunis semblait lettre morte, du moins pour un temps.

Mes sœurs et leur mari suivirent de près, portant leurs progénitures endormies dans leurs bras.

Germaine arriva, accompagnée d'Agnès. Elles avaient travaillé tard au budget que mon amie tentait de faire respecter à mon artiste de sœur. Germaine devait acquérir quelques notions de comptabilité avant qu'Agnès ne perde patience. Je ne m'inquiétais ni pour l'une ni pour l'autre. Jamais une paire aussi mal assortie physiquement ne se complétait si bien.

Rina aussi montra le bout du nez avec Nora, qui semblait être la seule à détenir le pouvoir de faire sourire son père. Dès qu'Albert l'apercevait, ses yeux se faisaient velours et son visage s'illuminait de l'intérieur.

Toutes les femmes se précipitèrent pour dresser un festin. Thon épicé, harissa, olives, cacahuètes, la boukha, la tabouna et la boutargue recouvrirent bientôt la nappe brodée, posée à la hâte sur la table de la salle à manger.

Pendant ce temps, je traînais dans un vieux caftan de Mamina, trois fois trop grand pour moi, incolore et défraîchi, que je n'avais pas eu le temps de changer. Lorsque mon regard croisais celui, réprobateur, de ma sœur et d'Agnès, je haussais les épaules, la mine faussement contrite : trop tard pour y remédier.

Quelques coups résonnèrent à la porte d'entrée. C'était Mady et son bel Italien. Il portait un électrophone, qu'il installa sur une chaise en équilibre. Élie fut ravi de s'occuper des branchements. Il n'avait pas encore complètement trouvé sa place auprès de ses beaux-frères. Cela viendrait.

Il plaça sur le plateau tournant un disque des Andrews Sisters. Leurs voix s'élevèrent et Ninon, bien sûr, esquissa quelques pas de danse. Aussitôt, Agnès se joignit à elle, bientôt rejointe par Yolande, Rina, Mady et Germaine, qui cherchait à entraîner Esther dans une parodie de chorégraphie.

If you ever go down Trinidad
They make you feel so very glad
Calypso sing and make up rhyme
Guarantee you one real good fine time
Drinkin' rhum and Coca-Cola
Go Down Point Koomahnah. [1]

Des coups retentirent à nouveau à la porte. Je me trouvais à deux pas de Rina, qui tendait désespérément la main vers moi pour me faire entrer dans la danse. Je m'esquivai et j'ouvris le battant de la porte d'entrée, ni bleue, ni ouvragée, ni précieuse, mais qui marquait la délimitation de plus en plus ténue entre mon monde et l'extérieur.

Saisie d'une intuition prémonitoire, je jetai un coup d'œil vers la salle à manger et, à cet instant précis, m'apparut ma famille. Elle s'ouvrait doucement et timidement, à la manière des bourgeons qui reposaient sur la frise du plafond. Je pressentis la beauté qu'elle aurait à offrir au monde à son éclosion, négligeant les a priori, les incompréhensions et les malentendus.

La charnière grinça un peu.

Bill apparut sur le seuil, ses yeux azreq immenses dans son visage amaigri qui me souriait.

---

1. *Rhum And Coca-Cola*, chanson interprétée par les Andrews Sisters. Parole de Morey Amstersan et musique de Jeri Sullavan et Paul Baron.

Il tenait dans sa main droite un pot de glace et dans la gauche, deux cuillères en éventail. Sur la boîte jaune, en lettres dorées, était inscrit : « La glace à la vanille, la saveur reine des desserts glacés. »

Je ne sais pas s'il entra ou si je sortis. Cela n'avait aucune importance... Et voilà tout.

Achevé d'imprimer
en janvier deux mille onze, sur les presses
de l'imprimerie Gauvin, Gatineau, Québec